medio pintar por todas partes, [...] pinturas de diversos tonos. Una [...] cogía la ropa sucia y la llevaba a la casa de la tía Mimi para que ella la lavara.

Paul McCartney subió por primera vez al escenario de The Cavern el 24 de enero de 1958. John había decidido agregar lo de Skiffle Group para que los Quarrymen fueran aceptados nuevamente por el dueño, Alan Sytner.

—Recuerden chicos, no somos un grupo de rock and roll. —les decía a sus compañeros en tono de burla.

El 6 de febrero, luego de tocar en Wilson Hall, en Garston, John, Paul y George regresan juntos en el autobús. Fue cuando Paul le pidió a Harrison que tocara "Raunchy". Días después John decidió aceptar a George en el grupo.

En el verano, Lennon llevó a los Quarrymen a un pequeño estudio casero. Había pagado un poco más de 17 chelines para grabar un disco sencillo: cara A: "That'll Be The Day", de su ídolo Buddy Holly. Por supuesto, John la cantó. Para la cara B grabaron: "In Spite Of All The Danger", la única canción compuesta conjuntamente por Paul y George. La cantidad pagada era para que se produjera sólo una copia del disco.

El 15 de julio había mal clima. Un tipo borracho se puso el uniforme de policía demasiado tarde, así que salió corriendo a encender la patrulla para intentar llegar a tiempo al trabajo. Acababa de anochecer y Julia Lennon salía de la casa de su hermana Mimi para volver a su hogar. El policía, que iba a toda prisa, apenas alcanzó a distinguir una figura femenina antes de arrollarla. Julia, el gran amor de John, murió por un estúpido retardo.

Paul trató de consolar al inconsolable Lennon. Decidió hablarle de la muerte de su madre, dos años antes, de cáncer de mama. Pero nada sirvió para liberarlo de la depresión. John incluso se olvidó del otro gran amor de su vida: la música, de modo que The Quarrymen se quedó un tiempo a la deriva. Lo más importante que hicieron ese año fue participar en un concurso organizado por la ABC TV, en Manchester, pero no pasaron la prueba.

George Harrison consiguió que el grupo tocara en el Casbah Coffee Club, un nuevo sitio de reunión de los jóvenes de

E
L

L
L
A
M
A
D
O

D
E

L
A

M
Ú
S
I
C
A

Liverpool, propiedad de Mona Best. Ahí conocerían a Pete, el malhumorado hijo de ésta, que también tenía interés en la música, de modo que en la Navidad pasada su madre le había comprado una batería. Con ella (o por ella) habría de ser invitado posteriormente por los futuros Beatles a su primer viaje a Hamburgo.

En enero del próximo año, Stuart Sutcliffe vendió una obra incompleta por 65 libras. John necesitaba un bajista en su grupo, de modo que se acercó a su gran amigo y le preguntó:

—Hey, chico, ¿qué piensas hacer con tanto dinero?

—Bueno, pues la verdad es que no lo sé.

John le pasó el brazo por los hombros y acompañó sus palabras con su gran sonrisa y una mirada penetrante, capaces de convencer a cualquiera:

—Me parece que lo mejor que puedes hacer con esa cantidad es comprar un bajo eléctrico y unirte a mi grupo.

Stu sonrió a su vez.

—Bien, Johnny, pero resulta que no sé tocarlo.

—Eso vendrá después, hombre. Anda, visita las tiendas y compra el que más te agrade.

Stuart compró un bonito Hoffner President, de enorme caja, y John decidió dejarlo practicar algún tiempo antes de integrarlo a sus filas. En abril, tocó en un bar del esposo de una prima de McCartney. John y Paul se hacían llamar The Nerk Twins, y aunque el público los mirara una y otra vez detenidamente, no hallaba qué podían tener de gemelos. Nada mal le hubiera venido a John haber tenido uno de verdad. Así, el trauma de la desaparición de sus padres no habría sido tan profundo.

Poco a poco, Lennon fue retomando su papel de líder de la banda. En mayo fue a ver al dueño del Jacaranda Coffee Bar: Allan Williams, para pedirle que manejara a Johnny and the Moondogs y el hombre aceptó.

Por entonces, Stuart ya tocaba con ellos y en el departamento que compartían John y él, el tema de las pláticas era el nombre del grupo. En realidad no era muy llamativo, de modo que no los ayudaría a ser los número uno. La

18

competencia entre las bandas de Liverpool no sólo era grande por la enorme cantidad de éstas, sino también por la calidad de la mayoría de los jóvenes músicos y las relaciones y visión que pudieran tener sus respectivos mánagers. Ante este panorama, el nombre de un grupo era muy importante para que fuera reconocido con facilidad.

Ahí tenían a Rory Storm and The Hurricanes, cuyo guitarrista, Johnny Guitar, era realmente bueno. El encargado de la batería también era muy hábil; se llamaba Richard Starkey, pero prefería que le dijeran Ringo Starr, por su afición a los anillos. Otras bandas destacadas de Liverpool eran Derry Wilkie and The Seniors y The Royal Caribbean Steel Band, grupo titular del Jacaranda, pero eso de incluir el nombre real o artístico del líder del grupo resultaba un tanto pedante. Había que buscar un nombre genérico y además muy llamativo. Quizás algo así como The Crickets (los grillos), que era el nombre de la banda de Buddy Holly. ¡Qué mal hubiera sonado Buddy Holly and The Crickets!

Con estas ideas, John se tumbó ante la televisión de Stuart para disfrutar de una película protagonizada por Marlon Brando, *The Wilde One!* (*¡Salvaje!*, 1954), una historia de pandilleros en motocicleta que se hacían llamar The Beetles (Los Escarabajos).

—¿The Beetles? —dijo Williams cuando días después Lennon le sugirió el nuevo nombre a su mánager. John había hecho un juego de palabras con *beat*: ritmo, y *beetles*—. No, creo que no funcionará. Déjenme pensar un poco... Mmm. Tal vez... Long John and The Silver Beatles.

—¿Qué tal sólo The Silver Beats? —propuso otra persona.

—¿O Silver Beetles? —dijo otra voz.

Cada uno de estos nombres sería usado en diferentes ocasiones.

Su mánager los llevó a tocar en su club, el Jacaranda. Como las entradas eran pocas, a cambio de su actuación, William les daba tostadas de frijoles y unas coca-colas.

—Ok —se decía John—, así que hasta aquí he podido llegar con mi guitarra.

EL LLAMADO DE LA MÚSICA

19

En junio vendría el trabajo en establecimientos de mala muerte. En uno de ellos, malamente llamado El Instituto, unos pandilleros casi mataron a un muchacho de dieciséis años.

En el Grosvenor Ballroom el ambiente no era más tranquilo. Lo mejor que hicieron ahí fue compartir por primera ocasión el cartel con otro de los grupos más prometedores de la escena inglesa: Gerry and The Pacemakers.

Tanto el ambiente cada vez más agresivo como el mal genio de Lennon desanimaron al baterista en turno, Tommy Moore.

—Estoy harta de que andes con esos tipos —le decía su novia—. Consigue un verdadero empleo o no volverás a verme.

Así que Tommy se fue a trabajar a una embotelladora. Debido a esto, Lennon pidió al agresivo público del salón de baile de Grosvenor un voluntario para tocar la batería. Fue una de las tantas metidas de pata de John al frente del grupo, pues un tal Ronnie, líder de un grupo de llamado The Teddy Boys (los "rebeldes sin causa" ingleses), en evidente estado etílico, se puso a aporrear malamente la batería de Tommy comprada en abonos y no terminada de pagar aún.

—*Son of bitch!* —maldijo Lennon y, en cuanto pudo, acudió al teléfono para solicitar a su mánager que fuera en su ayuda.

Poco tiempo después, en The Grosvenor Ballroom, los Teddy Boys presentes iniciaron una pelea y durante ella Stuart fue salvajemente agredido. Muchos de los golpes y patadas fueron directamente a su cabeza, lo que provocó que la sangre se coagulara en su cerebro. En cuanto pudo, John Lennon acudió a ayudarlo. La ira contenida en su alma se desbordó en ese momento.

Al sacar del lugar a su amigo malherido e inconsciente, John se sintió un tanto culpable de embarcar en su sueño a este chico tranquilo cuyo verdadero interés era la pintura. Stuart moriría tiempo después, en Hamburgo, a causa de esta golpiza.

La "escuela" de Hamburgo

Un grupo que manejaba Allan Williams se había escapado a Hamburgo, contratado por el empresario alemán Bruno Koschmider, a quien le iba tan bien con sus locales de música que sintió la necesidad de contratar a otro grupo inglés (era más barato llevar a Alemania a las bandas de Inglaterra que a las de Estados Unidos), así que le escribió a Allan Williams. Éste comunicó la propuesta de trabajo a Los Beatles, pero había un problema: seguían sin baterista.

George se acordó de que Pete Best tenía una batería nueva y de inmediato fueron a verlo. Como el grupo en el que tocaba Pete estaba a punto de separarse, aceptó la invitación para ir a Alemania con ellos.

Llegaron a Hamburgo el 17 de agosto. Mientras el viento lo despeinaba, John contemplaba el atardecer en el puerto. Era lo más lejos que habían llegado. Él seguía siendo el líder del grupo y algún día le agradecerían el haber tomado esta decisión.

Por entonces Hamburgo era la ciudad europea más importante, musicalmente hablando. Abundaban los locales en que se podían tomar bebidas alcohólicas. Los rudos marinos y los chicos existencialistas deambulaban entre los diferentes clubes en que podían escuchar los estridentes gritos y notas rebeldes de los grupos alemanes e ingleses. Había también muchísimos espectáculos de streep tease.

Los Beatles actuaban ocho horas seguidas y esto exigía que George compartiera con John y Paul la tarea de cantar. Los meseros, cuando los veían a punto de desfallecer, les distribuían anfetaminas: píldoras revitalizadoras de Preludín. Además, algunos clientes les ofrecían todo tipo de drogas, que no se atrevían a rechazar, por temor a una golpiza.

Sus habitaciones estaban detrás de la pantalla del cine Bambi, en el que actuaron durante tres meses. Dormían en viejos sofás de cuero y usaban banderas de Inglaterra como sábanas. Rory Storm and The Hurricanes, el primer grupo que había tocado rock and roll en Liverpool, los visitó en alguna ocasión para conocer cómo vivían las demás bandas inglesas en Hamburgo. Su baterista, Ringo Starr, se llevaba muy bien con John y sus compañeros.

The Hurricanes habían sido contratados para tocar en el club Kaiserkeller. Poco después Los Beatles también tocarían ahí. Era un lugar de más prestigio, pero el escenario, más amplio, era imponente para los chicos. El propietario era el mismo Koschmider, quien notó que Los Beatles casi no se movían en escena. Al enterarse, Williams les ordenó que hicieran show. Koschmider les insistió en alemán: *Mach Schau!*

—Así que eso quieren, ¿eh? —dijo John—, pues tendrán un verdadero espectáculo —y empezó a aventar micrófonos e instrumentos en el escenario. Los demás siguieron su ejemplo.

Parecían unos verdaderos chicos malos fumando y bebiendo durante sus actuaciones. En esto también fue John el que puso el mal ejemplo (bueno, según como se vea). Lennon no se quebraba la cabeza para encontrar nuevas formas de impactar a su público. Pronto se le ocurrió la idea de salir en paños menores a escena, y sin dudarlo puso en marcha su plan.

Sus colegas se sintieron cohibidos ante esa audacia y sólo observaron. John, no conforme con salir casi desnudo a tocar, se colgó el asiento del W.C. en el cuello.

—Hey, chicos, ¿qué miran? ¿De verdad nunca habían visto algo así?

De algún modo consiguieron gorras gastadas del Afrikka Corps y les pintaron cruces gamadas. Marcharon con paso de ganso hacia el escenario y John, al frente, le gritó al público:

—¡Aplaudan, nazis hijos de puta!

Esto atrajo más clientela. También el grupo en que tocaba Ringo sabía armar relajo.

Por entonces, Los Beatles conocieron a Klaus Voormann, un existencialista, y a su novia Astrid Kirchherr, quien poco después andaría con el guapo Stu. También fue la época en que Paul le pidió insistentemente a John que sacara al bajista del grupo, por lo mal que tocaba. Lennon no hizo nada al respecto. Estaba de acuerdo en que Stuart era un mal bajista, pero era su mejor amigo. "Lo que sucede es que Paul está celoso", pensó John. Stuart era considerado el más guapo por el público femenino y esto exasperaba a McCartney. Y llegó la noche en que Stu y Paul llegaron a los golpes en plena actuación. Este hecho y la próxima deportación de George Harrison por ser menor de edad hicieron que el ánimo del sensible John decayera.

El 10 de diciembre un deprimido John llegó en tren a Inglaterra, solo, pues todos los demás se habían adelantado, excepto Stuart, quien se había quedado al lado de Astrid.

Lennon apenas intercambió algunas palabras con su tía y fue a echarse a un rincón. Mimi le dijo, llorosa:

L
A

"E
S
C
U
E
L
A"

D
E

H
A
M
B
U
R
G
O

—Cómo es posible que vengas en estas condiciones. ¡Yo que me he desvivido por darte todo lo que te hace falta! Yo que he entregado mi vida por ti, ¡y mira!, así me pagas.

Las experiencias sexuales constantes en Hamburgo y el consumo asiduo de drogas habían contribuido a dejarlo exhausto y conmocionado. Se le había pegado un tanto el existencialismo alemán y se quedó divagando sobre el concepto de absurdo con la vista fija en la pared. En esos momentos comenzó a tejerse la letra de la canción que sería su primera introspección compartida con su público, "There's A Place" ("Hay un lugar"):

Hay un lugar al que puedo ir

Cuando me siento mal, cuando me siento triste,

Y es mi mente

Y no hay momento en que esté triste.

También pudo haber empezado a pensar en la letra de la canción "Misery" (que incluirían en su primer álbum, *Please Please Me*, de 1963), que comienza: "El mundo ha estado tratándome mal".

Había sido la primera vez que había salido realmente de la vida habitual, diurna, y lo que estaba más allá parecía muy atractivo. No había tenido un instante para sentirse solo. Sí, la actividad acelerada, el contacto con el público y el desfogue emocional rasgando las cuerdas de la guitarra y de la garganta impedían que sus demonios lo consumieran.

La vida infernal de Hamburgo había constituido su paraíso. Eso era lo que quería, sí… Pero este comienzo lo había dejado agotado. Por el momento quería descansar, dormir… al diablo con todo.

Cinco días estuvo cavilando sobre las mismas ideas y al fin se decidió a buscar a George, Paul y Pete.

Bob Wooler, el presentador de The Cavern, fue uno de los organizadores del concierto de bienvenida a Los Beatles, el cual se realizó en Litherland Town Hall. El haberlos presentado como "directamente desde Hamburgo" hizo creer a la mayoría del público que eran alemanes. John afirmaría después que esa fue la primera vez que les aplaudieron en Liverpool.

La ida a Hamburgo había mejorado notablemente el sonido del grupo, así que fueron contratados para una serie de 36 conciertos. Contrataron como ayudante y chofer a Neil Aspinall, que había estado en el mismo colegio de Paul y George y había hecho amistad con ellos, pero se quedaron nuevamente sin bajista, pues el que Pete Best consiguió, llamado Chas Newby, tuvo que volver a la universidad.

LA MÚSICA, Y NADA MÁS

Para casi todos los miembros del grupo, los estudios escolares eran cosa del pasado. John, sobre todo, estaba convencido de que nunca sería un buen estudiante, así que apuntó bien y se lanzó a conseguir el éxito como músico.

—Oye, George —dijo a su camarada—, ahora que Chas se ha ido, ¿qué te parece si te haces cargo del bajo?

—De ningún modo, John, yo no dejo la guitarra por nada del mundo. Busca a otra persona.

Ambos voltearon a ver a Paul.

—Muy bien muchachos, ocuparé el puesto —dijo éste.

En abril volvieron a Hamburgo. La futura esposa de John, Cynthia Powell, llegó en junio a esa ciudad alemana y estuvo con él durante todo el mes. La pareja se la pasó en la casa de Astrid. Los días 22, 23 y 24, Los Beatles grabaron cuatro piezas acompañando a Tony Sheridan, la principal de ellas "My Bonnie Lies Over The Ocean".

Lennon aprovechó para grabar su voz en "Ain't She Sweet" y la cinta también registró una composición instrumental de Lennon/Harrison. En los créditos, al grupo se le dio el nombre de "The Beat Brothers". Los derechos fueron cedidos a Polydor.

25

L
A
M
Ú
S
I
C
A

Y

N
A
D
A

M
Á
S

El 6 de julio de 1961, tres días después de que Los Beatles regresaran a Liverpool, un ex compañero de escuela de John, Bill Harry, publicó el primer número de su revista: *Mersey Beat*, que se dedicaba a informar acerca de la escena musical de la ciudad. En esa edición apareció un artículo de Lennon acerca del origen de Los Beatles. En este texto John demuestra su estilo desenfadado, su humor negro y sus ansias de originalidad al hablar acerca de cómo se conformó el grupo, de su primera experiencia en Hamburgo y de la imaginaria forma en que el nombre de la banda les fue manifestado:

"Un hombrecillo se apareció en un pastel en llamas y dijo: 'Desde hoy serán Los Beatles, con a'..."

En septiembre de ese año fue lanzado al mercado alemán el EP *My Bonnie*, de Tony Sheridan acompañado por The Beat Brothers. Una de las dos piezas de la cara B era "Cry For a Shadow".

El mes siguiente John y Paul fueron a París para festejar allá el cumpleaños veintiuno de Lennon. Ahí encontraron a un amigo alemán peinado a la moda francesa, y decidieron pedirle que les dejara el pelo como él.

En noviembre de ese año, Brian Epstein, dueño de la tienda de discos NEMS, fue a La Caverna para escuchar a Los Beatles. La personalidad de John atrajo poderosamente su atención, y a éste la homosexualidad de Brian no debió pasarle inadvertida. Tras varias visitas de aquel hombre elegante a The Cavern, Lennon pensó en explotar su interés en su música... y en él mismo.

A principios de diciembre Los Beatles y Brian se reunieron por primera vez para hablar de la posibilidad de que éste manejara al grupo. Tres días después volvieron a verse y John dijo que lo aceptaban como mánager. No firmaron ningún papel. Sólo hubo el compromiso oral de parte de Brian de conseguirles un contrato discográfico. Tras esto, se formalizaría la relación entre ellos.

Lo primero que hizo Brian como mánager provisional fue invitar a Mike Smith, por entonces director de productores de Decca Records, a The Cavern. A él le pareció que Los Beatles prometían, así que los citó en Londres para el primer día de 1962. Brian eligió quince canciones del repertorio del grupo para la prueba. Mike se entusiasmó con las grabaciones, pero su jefe rechazó a Los Beatles, diciendo que los grupos de guitarristas ya estaban pasados de moda.

En Liverpool los esperaba una excelente noticia, que contribuiría a quitarles el mal sabor de boca: miles de lectores de *Mersey Beat* habían elegido a Los Beatles como el grupo más popular de Liverpool. Al día siguiente, 5 de enero de 1962, se publicó *My Bonnie* como sencillo. La canción titular estaba acompañada por "The Saints" en el lado B y el disco tenía el sello de Polydor.

El 24 de ese mes, Brian firmó un jugoso contrato con Los Beatles. Para él sería la cuarta parte de los ingresos del grupo. Esto realmente era un asalto a plena luz del día, pues ningún otro mánager de Liverpool percibía más del 10%, pero lo que llevó a Lennon a aceptar fue su intuición de que Brian era el hombre indicado para llevarlos al éxito.

L
A
M
Ú
S
I
C
A
Y
N
A
D
A
M
Á
S

En realidad, Epstein era tan insistente como el propio John. No se dejaba arredrar por los inconvenientes. Tras unos instantes de duda tras un fracaso, sabía ponerse de pie y seguir la marcha con ánimo renovado. Ese era el secreto de sus triunfos como empresario. El 8 de febrero tomó la cinta de la audición en Decca y fue a la tienda de discos de EMI, en Londres, para pedir que imprimieran algunos acetatos.

Al encargado de prensarlos le pareció que el material era bueno y sugirió a Brian que fuera a ver al jefe de la compañía que editaba las grabaciones de EMI, y éste a su vez lo envió con George Martin, jefe de producción de Parlophone Records, otra compañía de EMI.

El 9 de mayo, mientras Los Beatles se encontraban cumpliendo otro contrato de trabajo en Hamburgo, se entrevistaron Brian Epstein y George Martin en los estudios de grabación de EMI, ubicados en Abbey Road, Londres. A Martin le llamó la atención el material del grupo, así que fijaron la fecha en que Los Beatles debían visitar ese lugar para grabar su material de muestra.

Cuando John tuvo en sus manos el telegrama en que Brian los felicitaba por el hecho y les pedía que ensayaran nuevo material para la prueba de grabación, sintió profundamente que todo el trabajo de preparación para la fama había terminado. Estaban ante la puerta del triunfo.

El 15 de agosto John telefoneó a Ringo para que sustituyera a Pete en la batería, pero fue hasta el día siguiente que Pete fue informado por Brian de que ya no era un beatle. Lennon no sintió ningún remordimiento; era lo mejor. Pete no encajaba con la personalidad del grupo y siempre andaba de mal humor.

Por aquel entonces John se ocupaba de su próxima boda con Cynthia Powell. Ésta se realizó el 23 de ese mismo mes. Los invitados fueron muy pocos, entre ellos George Harrison y Paul McCartney, quien fue padrino. El rencor de Mimi contra la chica le impidió que asistiera al evento. ¿Cómo era posible que aquella muchachita que parecía tan bien educada se hubiera embarazado antes de tiempo? Sí, Cynthia esperaba un bebé de John y la pareja no tenía dónde vivir.

Lennon no estaba muy convencido de ese matrimonio, aunque Cynthia afirmara más tarde que estaban realmente muy enamorados y felices de vivir juntos. Lennon pensó que este enlace era un lastre para su carrera. Además, no estaba preparado para la paternidad, ni psicológica ni económicamente.

Pero Brian salió al rescate. Su amor por Lennon no tenía límites, así que los invitó a vivir en un departamento suyo. En realidad el lugar sería sólo para Cynthia, pues la mayor parte del tiempo, empezando por su noche de bodas, John se la pasó fuera, actuando con Los Beatles.

El 4 de septiembre grabaron para George Martin. Tuvieron que hacer quince tomas de la canción "Love Me Do", pues Martin no terminaba de convencerse de que sonara realmente como un futuro éxito. Hubo otra sesión una semana después y al fin se mandó prensar el disco sencillo con "Love Me Do" en la cara A y "P.S. I Love You" en la B. Las dos eran canciones de Lennon y McCartney. Este sencillo apareció en las tiendas de Inglaterra el 5 de octubre. Las tías y hermanas de John estaban muy orgullosas de él, pero Lennon sentía un gran vacío:

—Si Julia estuviera aquí…

EL IRREVERENTE DE LA CIMA

A sólo veintiún días de su lanzamiento, "Love Me Do" entró en la lista de éxitos de New Musical Express. Alcanzó el número 49. Paul declararía más tarde que ese fue el día en que supieron que habían triunfado. En realidad Lennon lo había sabido antes, cuando aparecieron por primera vez en televisión, actuando en La Caverna.

A partir del 30 de octubre de 1962, Los Beatles actuaron en el Star Club de Hamburgo junto con Little Richard. Luego enfrentaron algunas experiencias amargas. Pero les volvió a subir el ánimo George Martin, a fines de noviembre, cuando grabaron en Abbey Road, entre otras, la canción "Please Please Me", una composición de Lennon en que la invitación a tener sexo es evidente.

29

E
L

I
R
R
E
E
V
E
R
E
N
T
E

D
E

L
A

C
I
M
A

La verdad, al principio, a Martin le pareció monótono el ritmo, pero después de que los muchachos le dieron vivacidad a la canción, a instancias suyas, Martin auguró que sería su primer número uno. Así sería, en efecto, a fines de febrero del año siguiente, aun cuando en una de las versiones lanzadas al mercado John y Paul se equivocaron y cantaron en distintos tonos.

En realidad fue muy satisfactorio para John, el líder del grupo (aún entonces), el que el primer hit de The Beatles fuera una composición suya acorde con su personalidad irreverente.

En diciembre de 1962 hicieron dos apariciones en directo en la televisión inglesa. En la segunda mitad de ese mes cumplieron su quinto y último contrato en Hamburgo. Estando ahí, se enteraron que "Love Me Do" había llegado al número 17 en la lista de éxitos de la revista *Record Retailer*.

El 1 de enero de 1963 regresaron de nuevo a Inglaterra. De Londres tenían que volar a Escocia, pero el mal tiempo lo impidió, así que John aprovechó para ir a Liverpool a ver a su tía Mimi.

El 11 de enero el sencillo con "Please Please Me" y "Ask Me Why" ya estaba en las tiendas de discos de Inglaterra. En este mes Los Beatles se acostumbraron a las presentaciones en televisión para hacer playback. Sólo mover la boca era parte del negocio. El espectáculo debía ser perfecto, tanto como lo permitiera la grabación de "Please Please Me".

En febrero acompañaron en su gira nacional a Helen Shapiro, de apenas dieciséis años. Mientras recorrían Inglaterra, George Martin se apresuraba a elegir temas del repertorio del grupo que pudieran dar una idea de la atmósfera creada durante sus actuaciones en La Caverna, todo con miras al primer álbum de Los Beatles. No había que desaprovechar el momento. Estaban escalando rápidamente en el gusto de la juventud inglesa y un disco de larga duración los instalaría completamente en las cabezas de los escuchas.

30

El 11 de febrero, Los Beatles empezaron a grabar el Long Play (LP, disco de larga duración) *Please Please Me*. Se incluyeron las cuatro piezas de sus dos sencillos.

En Estados Unidos, la Meca del rock y próximo destino de Los Beatles, el sencillo de *Please Please Me* se empezó a vender el 25 de febrero, pero con el sello de una pequeña compañía: Vee Jay Records, pues Capitol, disquera estadounidense que pertenecía a EMI, no quiso promocionar a un grupo inglés desconocido aún en América.

El 28 de febrero, durante la gira de Helen Shapiro, yendo en el camión de York a Shrewsbury, John se sentó junto a Paul para trabajar en la composición de la canción titular de su tercer sencillo. Se llamaría "From Me To You". Esta pieza era muy rítmica y comercial, como todas las demás canciones producidas por George Martin. La letra hablaba de abrazos y besos, por lo que seguramente le gustaría a los adolescentes. Martin propuso el solo de armónica a John, pues éste tenía verdadero talento para tocarla, lo cual había quedado demostrado en sus dos primeros éxitos: "Love Me Do" y "Please Please Me".

En este álbum se nota claramente cómo John goza con la tortura de la lástima por sí mismo al cantar "Anna (Go To Him)", una canción estadounidense de Arthur Alexander, que en su versión inglesa bien pudo llamarse "Julia (Go To Him)".

"Do You Want To Know A Secret?" es la cuarta pieza del lado B del álbum. Es una composición de John inspirada en una canción que solía cantarle su madre, pero permitió que la cantara George Harrison, puesto que sólo tenía tres notas, de modo que Harrison se podría lucir, ya que "él no era el mejor cantante del mundo", según afirmó Lennon años después.

"Theres A Place" es el tema con que John anuncia a los futuros Beatles, los de las letras maduras, geniales, que expresan estados de conciencia y no aventuritas adolescentes. Lennon tenía una gran necesidad de manifestar su situación interior. Tras un autoanálisis, expresa sin complacencias sus descubrimientos.

El álbum *Please Please Me* se cierra con "Twist and Shout". Lennon terminó por revelar lo siguiente: "No fui capaz de cantar esa jodida cosa, solamente gritaba". La había entonado al final de una exhaustiva sesión de grabación. El público esperaba y el disco debía estar muy pronto a la venta. Apareció en las tiendas el 22 de marzo.

John Charles Julian Lennon, hijo de Cynthia y John, nació a las seis de la mañana del 8 de abril de 1963, pero el beatle no conoció al bebé sino hasta el 11 de ese mes, el mismo día del lanzamiento del tercer sencillo del grupo que lideraba, con "From Me To You" y "Thank You Girl".

Años después, cada uno de los progenitores dio su versión de la concepción de Julian. Cynthia afirmaba que había sido producto del amor, mientras que John, con su característico humor cáustico, y quizá mareado por la fama y deseoso de decir algo ingenioso, afirmó a la revista para caballeros *Playboy* que el niño había nacido "de una botella de whisky tomada la noche de un sábado".

En realidad no creemos que John haya dicho esto en serio, pero nos atrevemos a dudar que sintiera mayor emoción al ver a su hijo que al conocer en persona, dos días después, a su compatriota y colega Cliff Richard, líder de The Shadows, con quienes Los Beatles compartirían un concierto el 21 de ese mismo mes.

Una semana después el grupo iniciaría sus vacaciones. John hizo las maletas y se fue a España con... Brian Epstein, dejando a Cynthia y a Julian en Liverpool. En esa ocasión Brian pagó todo.

"Fue mi primera experiencia con un homosexual", afirmó tiempo después Lennon. Se sigue rumorando acerca de si realmente consumaron el juego amoroso. Lo único que se sabe es lo poco que Lennon habló del viaje, durante el cual disfrutaba preguntarle a Epstein qué muchachos le gustaban. Se empeñó en hacer creer que la experiencia sólo había sido para enriquecerlo como escritor. En efecto, otro de sus grandes intereses en la vida fue la literatura.

El 18 de junio de ese año, cuando Paul festejaba su cumpleaños veintiuno en el patio de la casa de su tía Jin, en Huyton, Liverpool, Bob Wooler se atrevió a bromear con su viejo amigo Lennon acerca de su viaje a España. John realmente se sabía llevar muy pesado, pero estaba borracho y algo en su conciencia no lo dejaba tranquilo desde aquella visita a Torremolinos, así que se lanzó contra Bob y lo envió directo al hospital. "Insinuó que yo era un marica —declaró Lennon después—, quizá sentí miedo de que así fuera y por eso lo golpeé, y pude haberlo matado."

El cantante Billy J. Kramer había intentado calmar a John, pero también él fue objeto de la ira de Lennon. Le dijo que él no era nadie y que Los Beatles eran los número uno. Ya en ese estado de descontrol, atacó también a una mujer.

Había sucumbido a la tentación de una nueva experiencia, como la de las drogas y el sexo asiduo con mujeres públicas, pero la vivencia homosexual había sido posible tras abandonar, como su propio padre, a su esposa y a su pequeño y único hijo, abordo él del barco de la fama. Sentimiento de culpa e ira, la inseparable pareja de emociones que se inserta en el hombre asustado, no abandonaría nunca a John.

EL IRREVERENTE DE LA CIMA

33

E
L

I
R
R
E
V
E
R
E
N
T
E

D
E

L
A

C
I
M
A

Sólo unos días después del incidente con Bob, el mal humor y la soberbia de Lennon se siguieron manifestando: fue parte del jurado de un programa de televisión en que se criticaban los últimos discos puestos a la venta, y él calificó como fracaso todos los que fueron puestos a su consideración.

Era el 22 de junio de 1963. Ese mismo día Los Beatles vendieron autógrafos a tres peniques cada uno en beneficio de una campaña que se había hecho en Gales para luchar contra el hambre. Esto calmó en buena medida el humor de Lennon y fue una de las primeras veces que comprendió la antiquísima enseñanza de que la tranquilidad interior se alcanza yendo hacia los otros, pensando en aquellos a quienes puedes ayudar. "Sé que debo reconocer como mi hermano a cualquiera que encuentre en mi camino", se dijo John, y éste sería su lema en adelante.

Días atrás Brian Epstein le había pedido que le enviara un telegrama a Bob Wooler en el que le pidiera disculpas. Lo había hecho y eso lo había ayudado a sentirse un poco mejor, pero seguía apenado con Kramer, quien realmente no le había dado mucha importancia al asunto. Después de todo, las palabras de John habían sido las de un temperamental tipo que estaba borracho. El 27 de junio el buen Kramer estaba grabando "I Call Your Name", una composición de John. Bien, estas lecciones de humildad marcarían a Lennon para el resto de su vida.

Siguieron las presentaciones en televisión y el 12 de julio Gran Bretaña vio aparecer en las disqueras el Extended Play *Twist And Shout*, que incluía cuatro canciones del primer álbum. Seis días después volvieron a los estudios de grabación para empezar a trabajar en su siguiente álbum: *With The Beatles*.

La portada, una foto de Robert Freeman que muestra a los chicos con medio rostro sombreado, fue considerada muy original, pero realmente Freeman se había inspirado en algunas fotos que Astrid Kirchherr les había tomado a los muchachos en Hamburgo. En cuanto él mencionó que quería hacer una foto en blanco y negro, los muchachos recordaron el trabajo de su amiga alemana.

El público esperaba ansiosamente material nuevo del grupo. No había que permitirle descanso a éste. Debían mantener su ritmo de trabajo acelerado. Todo lo que ellos ofrecieran se vendería. No había lugar para la crítica de su trabajo.

Pese a la prisa, los chicos se permitieron utilizar todos sus conocimientos musicales y técnicos para producir una verdadera obra de arte. "Nuestro primer truco en el segundo álbum fue usar doble pista", dijo Lennon. En todo momento, desde entonces y hasta la separación del grupo, George Martin los estuvo asesorando en todo lo que los muchachos quisieran hacer en el estudio.

Comparados con los de ahora, los estudios ingleses de principios de los sesenta eran realmente primitivos. No hacían aún grabaciones en ocho canales, mientras que en Estados Unidos las realizaban desde los años cincuenta, y además a ningún grupo británico se le había ocurrido incluir en sus discos sonidos que no fueran los directamente emitidos por instrumentos convencionales o la voz del cantante. Pero ahora le había llegado a Lennon el momento de revolucionar la música como verdadero mago lleno de trucos. Su mente creativa no hallaba descanso (ni lo pedía), y fue de este modo que condujo a Los Beatles, de ser un grupo carismático que sonaba bien en vivo, a ser la banda que estaría por décadas como punta de lanza de la experimentación musical, teniendo como base la mezcla de sonidos.

Por otra parte, Lennon se mostró mucho más seguro como cantante. La acertada modulación de la voz y su fuerza expresiva se notan principalmente en el segundo tema del disco: "All I've Got To Do". Él sigue siendo el encargado exclusivo de las partes de la armónica y sabe hacer que este instrumento exprese sus emociones más intensas. Por ejemplo, en "Little Child" el solo de armónica es realmente magistral. Además, el coro de esta pieza, que dice: "I'm so sad and lonely" ("estoy tan triste y solitario") realmente expresa lo que pretende.

Las emociones en las composiciones de Lennon incluidas en *With The Beatles* hallan fácil salida. Por cierto, en "Little Child" encontramos una de las frases que ha de ser una de las constantes en sus canciones: "no te escondas". A Yoko Ono en varias ocasiones le dirigirá estas palabras en sus álbumes ya fuera del grupo. (Adelantemos desde ahora que Yoko, siete años y ocho meses mayor que Lennon, ocupó el lugar de la madre en la vida de éste.)

La autocompasión de John vuelve a presentarse en "Not A Second Time":

Me lastimaste entonces,

Vuelves de nuevo,

No, no, no,

No una segunda vez.

En definitiva, *With The Beatles* es el álbum en que Lennon se consagra como cantante, compositor y es reconocido como el líder indiscutible del mejor grupo de rock que haya existido. Los muchachos sabían escoger mejor los temas para conformar un álbum, es decir, comenzaron a considerar a un LP como una obra de arte, por lo que sus canciones debían tener unidad temática. Además, las composiciones de Lennon y McCartney eran más sólidas en sus letras y su música.

John y Paul repartían las regalías en partes iguales, y éstas eran una buena parte de los ingresos de la pareja de cantautores. Por cierto, cuando quisieron proteger sus creaciones, crearon la compañía Northern Songs Limited, pero fue una de las grandes tomaduras de pelo que les hicieron, pues Dick James y su contador, con quienes se asociaron, se quedaron con 51% de las acciones, en tanto John y Paul, cada uno, con 20%, y Brian sólo con 9%.

Por otra parte, los covers suenan perfectos en la voz de cada uno de ellos según la letra y el tono. A pesar de esto, John, no del todo satisfecho, les hace añadidos, como en "Money (That's What I Want)", una canción estadounidense de Barry Gordy y Janie Bradford y éxito de Motown, la disquera estadounidense que promovió a los cantantes negros. En ella, al final, Lennon agrega en los coros una frase con que manifiesta un ansia profunda: "I wanna be free" ("Quiero ser libre").

En julio de 1963, entre el trabajo en el estudio de grabación y las presentaciones en vivo del grupo, Inglaterra empezó a vivir un fenómeno singular: la obsesión por Los Beatles se manifestaba en miles y miles de jóvenes, sobre todo del género femenino.

El 21 de ese mes más de cuatro mil muchachos impidieron el tránsito en Blackpool, fuera del Queen's Theatre, momentos antes de que el grupo se presentara ahí.

Dezo Hoffmann era el encargado de filmar algunas escenas graciosas de Los Beatles. A John le encantó la idea de ponerse trajes de baño estilo victoriano. No se quitó el suyo en mucho tiempo y hasta se atrevió a ir con él hasta su hotel. Hacer cosas ridículas para burlarse de las buenas costumbres siempre fue una característica dominante en Lennon.

Por entonces, John había hecho amistad con poetas de la talla de Royston Ellis. Era la época en que en Lennon empezaban a aflorar sus ímpetus como escritor. No tardaría en dar a la luz un libro singular: *In His Own Write* (En su propia escritura), con textos en prosa y poesías que prefiguran algunas de sus canciones de la etapa psicodélica. Con el tiempo, fundaría Lennon Books Limited, que a principios de 1969 cambiaría su nombre por el de Lennon Productions Limited, compañía que se encargaría de sus obras literarias.

El grito de "Yeah, yeah, yeah", que sería el de batalla de la beatlemanía, apareció a todo pulmón en el siguiente sencillo del grupo: *She Loves You*. La canción titular estaba acompañada de "I'll Get You". Era agosto de 1963. El mismo mes se citaron con Freeman para la foto de los medios rostros.

Mientras Paul recibía una multa tras otra por manejar con exceso de velocidad y el grupo seguía con sus presentaciones en concierto y en programas televisivos de variedades, John Lennon profundizaba cada vez más en el análisis de su propia personalidad. Notaba que él y todos sus compañeros cambiaban conforme la fama subía. Sabía que esto

EL IRREVERENTE DE LA CIMA

37

E
L
I
R
R
E
V
E
R
E
N
T
E

D
E

L
A

C
I
M
A

era natural. No escapaba a su inteligencia que la manera alocada de conducir de McCartney se debía a su sensación de ser todopoderoso (a la tercera multa por manejar así, a fines de ese mes, le quitaron su licencia de conducir por un año). Las reglas comunes no valían para los genios.

Pero más allá de la transmutación que acompañaba el ascenso en su carrera como músicos, en John se operaban los cambios radicales de pasar de la soledad a la compañía constante de sus compañeros de trabajo y el asedio de las fans. Había una enorme diferencia entre el niño ignorado hasta por sus propios padres y el John necesitado y adorado por todo el mundo.

Empezaron a manifestarse algunas resquebrajaduras en la estructura de Los Beatles. John era el líder y Paul, hasta ese momento, se consideraba el segundo a bordo, pero desde su primera época en Hamburgo, había intentado manejar el grupo a su modo. Sus diferencias con el mejor amigo de John, Stuart Sutcliffe, habían llegado hasta los jaloneos y los golpes en el escenario. Después fue de los primeros en hablar de la conveniencia de deshacerse de Pete Best. Paul parecía considerar que el único que realmente estaba a la altura de su genialidad era John.

Así, la mancuerna Lennon-McCartney se comportó como un ser de dos cabezas. Ringo era el simpático y tierno baterista, el cara de niño al que le asignarían después las canciones de corte infantil. Por todo esto no representaba ningún peligro para el lucimiento de McCartney.

¿Y George? Bueno, había sido traído al grupo por Paul, pero ahora parecían molestarle a éste las ansias de superación del requintista del grupo. George Harrison, el tímido, no debía ansiar más que tocar sus solos de guitarra atrás de John y Paul y entonar algún cover de los héroes rocanroleros del grupo, pero, ¿componer?

El 11 de septiembre de 1963, en los estudios de Abbey Road de EMI, al fin Paul accedió a que, por primera vez, grabaran unas cuantas pruebas de una canción compuesta por George Harrison: "Don't Brother Me".

A John tampoco le parecía muy buena la pieza, pero empezaba a inquietarle cada vez más el comportamiento de

McCartney. Sin embargo, su mente estaba más preocupada por su relación con su genial mánager. Con su familia, estaba planeando ir de vacaciones a Francia, pero sabía que Epstein los seguiría.

La familia Lennon llegó a París el 16 de septiembre, y poco después Brian arribó a esa ciudad. ¿Qué nueva oleada de comentarios desataría esto? Epstein parecía una verdadera sombra de Lennon, y sería una de las muchas relaciones que a éste se le saldrían de control.

El siguiente sencillo del grupo tendría "I Want To Hold Your Hand" en la cara A y "This Boy" en la B. Fue la primera vez que grabaron en cuatro pistas. John estaba como niño con regalo de cumpleaños (había festejado sus veintitrés años apenas ocho días antes de meterse al estudio para trabajar en este disco). Su creatividad no tenía límites y no tardó en sugerir ideas para aprovechar al máximo el número de pistas con las que podían grabar ahora en Inglaterra, aunque no eran más que la mitad de las que se utilizaban en Estados Unidos. Por cierto, el enorme mercado estadounidense habría de ser abierto a los grupos ingleses gracias a la canción titular de este sencillo, que llegaría a ser su primer número uno en Estados Unidos.

Lennon, años después, lleno de rencor contra Paul (pues él y no Yoko, habría de ser el verdadero culpable de la desintegración de Los Beatles) reconocería que "I Want To Hold Your Hand" fue una de las poquísimas canciones que realmente escribió junto con él. "Es una bonita melodía. Es de las canciones que realmente disfruto cantar."

El manejo de cuatro pistas ayudó a hacer inmejorable la apreciación del descenso de la tensión a la mitad de la pieza. El clímax de la canción es totalmente de John: "I can't hide" ("no puedo esconderme"). Por cierto, Bob Dylan (quien inició a los Beatles en el consumo de drogas como un medio de aumentar la creatividad artística), haciéndose el gracioso, entonaba esta parte como "I get high" ("me pongo en las alturas", es decir: "drogado").

"I Want To Hold Your Hand" fue el mejor experimento musical del grupo. La canción del lado B es totalmente de John. Al componerla la dividió en tres partes y en la armonía metió los cambios de acordes usados por los pioneros

39

del rock and roll. La sílaba final muy alargada de algunos versos transmite una sensación de libertad. Nuevamente se imponía el liderazgo de Lennon en la cuestión puramente musical. La revolución del sonido del rock seguía a todo vapor.

También iba creciendo velozmente la euforia en las presentaciones de Los Beatles. A este fenómeno la prensa empezó a referirse como beatlemanía. Que estaban a un paso de alcanzar la cima lo demostró la muy exitosa gira a Suecia, que hicieron en ese mismo octubre. La cima era en aquel entonces, como en la actualidad, Estados Unidos.

El destino ya estaba trabajando para allanarles el camino: Al volver a Gran Bretaña, el más conocido presentador de espectáculos de la televisión estadounidense, Ed Sullivan, contempló casualmente el gran recibimiento que la juventud inglesa dio a Los Beatles en el aeropuerto de Heathorw.

—Estos chicos deben ser muy buenos, sin duda —se dijo—. No tengo idea de quiénes sean, pero definitivamente contrataré a estos desconocidos para mi programa.

La mesa estaba puesta. John confiaba ciegamente en que las últimas canciones que habían grabado eran las mejores y se sintió por primera vez, como Paul, todopoderoso. Cualquier duda que aún tuviera acerca de su valor como persona, desapareció en esos momentos.

A tal grado se sentía triunfador que en el Royal Variety Show, el 4 de noviembre de 1963, cuando tocaron ante la reina de Inglaterra, antes de tocar "Twist And Shout", John se permitió una muestra de su agudo ingenio al presentar esta canción (cosa que rara vez hacía, pues el papel de maestro de ceremonias por lo común era desempeñado por Paul).

—Los de los asientos baratos, aplaudan. El resto puede hacer sonar sus joyas.

En el primer segundo los ricos de Inglaterra, importantes políticos y gente dedicada a la prensa, no supieron cómo reaccionar ante semejante atrevimiento, pero al ver que la broma había causado gracia a la reina comenzaron a aplaudir y a reír con ella. Después de todo, su majestad la reina Isabel ya había dado una muestra de apertura al admitir que tocara un grupo del tercer mundo: Luis Alberto del Paraná y los uruguayos, en un festival tan importante para la clase dirigente de Inglaterra. Además, no hubo censura. El chiste fue comentado en la primera plana de casi todos los periódicos ingleses del día siguiente.

Cuando Los Beatles le fueron presentados personalmente a la reina Isabel, a ella le parecieron personas sumamente simpáticas e interesantes. Por no ser realmente conocidos en esferas sociales distintas a aquellas en que se adoraba el rock, muchas veces era difícil que el público supiera quién era el líder. John tenía que demostrar, de alguna u otra manera, quién era el más ingenioso y atrevido. "Ése es el líder", diría entonces todo el mundo, sin vacilaciones.

Paul mismo se había quedado sorprendido de que John se hubiera atrevido a tanto. Lennon, en los ensayos, había mencionado, dirigiéndose a los lugares vacíos: "Vamos, sacudan sus jodidas joyas", y esto había preocupado sobremanera a Brian Epstein. Sin embargo, no le comentó enfáticamente a John lo inadecuado que sería para su carrera

EL IRREVERENTE DE LA CIMA

41

decir algo semejante ante la reina. A pesar de que él y todos los cercanos a Lennon conocían su desfachatez, creyeron poco probable que hablara así en público.

EL PAYASO GENIAL

A John le pasaba algo curioso en el escenario, y esto lo comentaron Paul y Ringo décadas después, en las respuestas que dieron en las entrevistas para la *Antología* fílmica: se transformaba en un payaso. Hacía ademanes y pateaba el piso de una manera tan burlona que parecía dominado por la idiotez.

Paul, el buen chico que en los conciertos hacía las presentaciones de las canciones con mucha formalidad (acentuada en el show ante la reina), al ver tales desfiguros en los conciertos que dieron en los Estados Unidos, se mantenía serio y ajeno, como si desconociera a John, aunque en ocasiones se fastidiaba y mostraba su enojo contra su compañero, buscando la manera de continuar con el espectáculo para el que los habían contratado.

Un soberbio y un ridículo, así empezó y acabó John la beatlemanía. Un soberbio tras el hombre ridículo que le gritaba al público: "¡Cállense!", cuando no dejaban escuchar las presentaciones de Paul o la música del grupo, o cuando los acosaban en los aeropuertos y afuera de los lugares de sus conciertos.

El hombre ridículo tras el soberbio, que ante el temor de ser despedazados por sus adoradores y el ansia generada por el éxito, juega al payaso. A fin de cuentas la beatlemanía no era más que un carnaval en el que el público pagaba por ver a cuatro carismáticas marionetas, por verlas, no por escuchar su música, que era la que había dado razón de ser al conjunto.

Al ver que ya ni siquiera podían salir a la calle y que hasta tenían dificultades para mantener su privacidad en los hoteles y recibir comida de fuera, John comenzó a sentir nostalgia por su vida pasada. Este sentimiento se reflejaría con intensidad en una de sus composiciones más personales,

"In My Life", una de las piezas magistrales del álbum *Rubber Soul*, que Los Beatles grabarían en 1965. Este LP marcaría el inicio de una nueva etapa del grupo.

En diciembre de 1963, Los Beatles fueron todo el jurado de los discos del momento en un programa televisivo al que ya había asistido John en alguna ocasión para calificar como "fracaso" todo lo que se ponía a su consideración. Esta vez, el gran John fue más indulgente. Se portó, digamos, condescendiente con Elvis Presley, quien pronto temblaría al ver la aplanadora inglesa recorriendo Estados Unidos y mandando a los últimos lugares de las listas de éxitos a los artistas estadounidenses. Lennon calificó así *Kiss Me Quick*, de "el rey":

—Será un éxito —lo dijo sin mucho entusiasmo, y de inmediato viró—: Me gustan estos sombreros que llevan escrito "Kiss Me Quick".

Una ironía brillante, sin duda. De haberlo dicho en Estados Unidos no lo habrían linchado (como cuando afirmó que Los Beatles eran más famosos que Jesús), por una simple razón: el público norteamericano no estaba preparado para captar un desprecio tan fino como éste.

Los otros Beatles opinaron de manera similar, pero el humor de sus comentarios desaprobatorios no alcanzó la altura del de Lennon.

Presentaciones y entrevistas en la televisión, entrevistas para la radio dadas muchas veces en sus camerinos; salir corriendo de un lado para llegar a tiempo a otro compromiso. Sonaba divertido para chicos entusiastas, pero el primero en envejecer sería John. Se estaba hartando, principalmente, del ruido. Pese a todo, sabía mantener su humor. El 14 de diciembre, cuando tocaron en Wimbledon, los dueños del Palais tuvieron que rodear el escenario con rejas de acero. Al ver el ímpetu de las fans, John les gritó:

—Si siguen empujando así, van a pasar como papas fritas.

El 17 de enero de 1964, después de dar uno de sus conciertos en el Odeon, Los Beatles se enteraron de que "I Want To Hold Your Hand" había llegado al número uno en los Estados Unidos. Todos brincaron e hicieron escándalo al estilo de Lennon.

43

E
L
P
A
Y
A
S
O

G
E
N
I
A
L

El 7 de febrero arribaron al aeropuerto Kennedy, de Nueva York, para actuar en el programa "The Ed Sullivan Show" y hacer presentaciones en vivo en varias ciudades estadounidenses.

En Washington, Los Beatles fueron entrevistados en la primera emisora de radio que había puesto sus discos en ese país. El locutor, un tal Carroll James, le dijo a Lennon:

—John, a ti te llaman el jefe beatle.

Y Lennon dio otra muestra de ingenio al responder:

—Carroll, ¡yo no te insulto!

Y después diría algo más agresivo.

—Además de Estados Unidos e Inglaterra, de los países que ustedes han visitado, ¿cuáles son los que les gustan más?

John:

—Además de Inglaterra y Estados Unidos, ¿cuáles más quedan?

Después actuaron en el Washington Coliseum y en seguida fueron a la recepción en la embajada británica. Ahí fue donde un aristócrata pedante se acercó a Ringo por detrás, con unas tijeras, y le cortó un mechón de pelo.

Ringo protestó:

—Hey, ¿qué le pasa?

—¡Vamos, hombre, no te pongas así! —respondió el tipo con altanería.

Hay dos versiones acerca de la reacción de Lennon.

Primera: En cuanto se vio rodeado de esa gente rica que le solicitaba un autógrafo, los rechazó a todos y exclamó:

—¡Estos individuos no saben comportarse! —tomó a Ringo de un brazo y gritó—: ¡Yo me largo de aquí!

Ringo hizo lo que pudo por tranquilizar a su compañero y los cuatro chicos de Liverpool soportaron un rato más aquel ambiente.

Versión dos: En cuanto John vio que el tipo que cortó el pelo a su amigo, en lugar de sentirse apenado o disculparse ante el reclamo del baterista, se mostró indignado de que aquel objeto de diversión se atreviera a tanto, salió dando codazos y gritando pestes, sin que nadie pudiera detenerlo.

Siempre que Los Beatles habían estado junto a gente de la clase alta, se habían sentido como curiosas marionetas hechas exclusivamente para divertirla. Pero ya habían tenido bastante. Después de este incidente, John hizo prometer a Brian Epstein que nunca más les pediría ir a este tipo de eventos.

John y Paul se mantenían trabajando aceleradamente para componer las canciones de su primera película, *A Hard Day's Night*. Tenían suficiente material como para ir a Abbey Road a grabar. Los Beatles tuvieron pronto en sus manos el guión, escrito por el dramaturgo Alun Owen.

En 1970, al ser entrevistado acerca del tema, John Lennon declaró que en realidad estaban algo molestos con el trabajo de Owen. Los diálogos eran simples y muchas de las situaciones verdaderamente ridículas. A principios de 1964, estaban hartos de las estupideces que tenían que decir y hacer actuando al lado de cómicos de tercera en programas de variedades que eran transmitidos por televisión.

En la Navidad anterior, los guionistas de El Gordo y el Flaco habían hecho que John se disfrazara de malvado con bigotes retorcidos, George se vistiera de damisela desvalida y Paul apareciera como un guardagujas heroico que la salvaba de ser arrollada por el tren, en tanto Ringo saltaba como idiota por el escenario aventando trozos de papel que simulaban ser nieve.

—Bien —se decía Lennon con el guión de la película entre las manos—, parece que deberemos seguir haciendo payasadas, fuera de lo estrictamente musical.

Entonces John decidió jugar el papel de *clown* en cualquier presentación pública. Puesto que nadie mostraba intención de tomar en serio a Los Beatles, este beatle no tomaría en serio a nadie.

En el terreno musical, Lennon volvió a demostrar que su creatividad era fecunda al componer diez de las trece canciones del LP homónimo de la película. Pese a las prisas (tuvieron dos semanas para hacer las canciones de la película y durante el rodaje debían escribir y grabar el resto de las composiciones que completarían el álbum), John pudo entregar su alma a sus piezas.

La única canción en que realmente trabajaron juntos John y Paul fue "A Hard Day's Night". Incluso cada quien cantó la parte que compuso, pero en la letra y en la voz de John se nota claramente el tono cínico y lleno de odio, a diferencia de la voz templada y las frases optimistas de Paul. Mientras Lennon canta:

Es la noche de un día difícil

Y he estado trabajando como un perro…

Paul entona:

Cuando estoy en casa todo parece estar bien,

Cuando estoy en casa sintiendo que me abrazas fuerte, fuerte, sí.

Sólo en el ritmo ligan como una sola canción. Cualquiera nota que los enfoques del día difícil son muy diferentes. El correcto Paul no se podía permitir decir frases como las de John, llenas de reproche. Las diferencias entre los temas y la forma de componer de estos dos genios se ahondarían cada vez más con el tiempo.

Lennon, en "If I Fell" alcanza la cumbre como compositor y su estilo se define. Es una canción con un tono altísimo que domina a la perfección y el tema de amor es atacado con cinismo. En alguna parte vuelven a aparecer palabras muy del Lennon inseguro:

Oh, please, don't run and hide

(Por favor, no corras ni te escondas.)

46   Y también:

Oh, please, don't hurt my pride like her
(Por favor, no hieras mi orgullo como ella.)

Como "I'm Happy Just To Dance With You" ("Soy feliz sólo al bailar contigo"), otra de sus composiciones, era más propia de un muchacho tranquilo, lo cual iba contra su imagen soberbia y descarada, dejó que George Harrison la cantara. Incluso se dice que la compuso especialmente para el más tímido de Los Beatles.

En las demás canciones del álbum se nota el tono desenfadado, burlón y rudo. Los temas giran alrededor de la culpa, la tristeza, la autolástima, la falsedad y la rabia.

Unos días después de estar trabajando en la filmación de *A Hard Day's Night* (en la primera quincena de marzo de 1964), John comenzó a promocionar en televisión su libro *In His Own Write*, que incluía textos en verso y prosa. Algunas de sus partes ya habían sido publicadas en el *Mersey Beat*. El volumen está ilustrado con dibujos del propio Lennon.

John se había decidido a mostrarle el material a un periodista, al cual le pareció muy bueno. Se le acercó más gente de la prensa y terminaron por sugerirle que escribiera un libro. Tiempo después ya estaba leyendo algunos fragmentos de su obra en la televisión, en el programa Tonight, de la BBC. Después concedería entrevistas en las emisiones de Dateline London y A Slice Of Life, programas de la misma televisora.

El próximo lanzamiento de su primera creación literaria le causaba a Lennon mucha alegría por dos razones: por la satisfacción personal y porque sabía que al menos en el terreno de las letras no tenía que competir con Paul, quien musicalmente le había robado atención. En efecto, en el sencillo que se lanzó para adelantar al público material de la película *A Hard Day's Night*, en el lado A se puso una de las tres canciones escritas por Paul para el filme y el LP: "Can't Buy Me Love", en tanto que el lado B había sido cubierto con la pieza con la que John se sentía más satisfecho: "You Can't Do That".

No sería esta la única ocasión en que su compañía disquera daría preferencia al material de Paul, y John terminaría por

47

reventar contra su colega de manera pública, después de la separación del grupo, sobre todo en la canción "How Do You Sleep?" ("¿Cómo duermes?"), incluida en uno de sus mejores álbumes como solista: *Imagine*, de 1971.

El primer día de abril de 1964, John Lennon habría de tener una entrevista de vital importancia en su vida, en las oficinas de NEMS Enterprises Limited, que Brian Epstein había creado para encargarse de todos los asuntos relacionados con Los Beatles y con los otros artistas que él manejaba, como Billy J. Kramer, Cilla Black y Gerry and The Pacemakers, entre otros.

Las oficinas acababan de cambiarse de Liverpool a Londres. Fue ahí, en la calle de Argyll, en donde se presentó muy formal el padre de John, Mr. Alfred. Esta visita había sido arreglada por Brian, debido a la adoración que sentía por Lennon. Esperaba con ello conseguir el agradecimiento eterno del líder beatle y que su relación personal se mantuviera y mejorara con el tiempo. Sentía que John se le iba de las manos. Había notado su fastidio por el exceso de trabajo. Giras, grabaciones, filmaciones y todo tipo de compromisos lo harían reventar y abandonar el mundo de la música, que era el que los había unido.

Sí, John se le podía ir de las manos. ¿Acaso no había pasado el último fin de semana con su esposa, Cynthia Powell, en un castillo de Irlanda, sin tomarlo en cuenta a él?

En realidad Brian ya venía trabajando en la preparación del encuentro entre John y su padre. Para asegurarse de que el ambiente no fuera tenso, invitó a Paul y a Ringo. A George no, por celos, pues él sí había estado con John en Irlanda (acompañado de Patti Boyd, actriz a quien Harrison conociera durante la filmación de *A Hard Day's Night*). Pero las cosas no resultaron tan bien como Brian esperaba. John acudió al encuentro principalmente por curiosidad. El afecto por su padre no podía haber sobrevivido tras largos diecisiete años.

—Hi —fue el saludo en cuanto vio a Freddie Lennon.

—Vamos, Johnny, mi buen Johnny —respondió Fred abriendo los brazos, invitando a su hijo a acercársele.

Paul y Ringo trataron de sonreír todo el tiempo, para aligerarle el ambiente a los Lennon. Todo parecía en vano. Parecían realmente dos extraños.

Fue una parca entrevista de apenas veinte minutos. No había mucho que decir: Julia estaba muerta y, así como Freddie había tomado su barco hacía casi dos décadas, John había elegido su rumbo. Tenía una nueva familia: Los Beatles, con un tutor: Brian Epstein. Y si Alfred Lennon amaba recorrer el mundo, su hijo también, pero cada quien lo seguiría haciendo por su lado.

Claramente John rechazó abrir la puerta a la posibilidad de que ahora Alfred lucrara con la fama de quien alguna vez quedara totalmente abandonado en una casa de campo, siendo muy pequeño. Hubo cortesía, pero no se fue más allá.

Brian, el hábil hacedor de estrellas y urdidor de lucrativos negocios, negó con la cabeza: No, definitivamente, la entrevista no había sido un éxito.

Mientras tanto, el éxito de Los Beatles se afianzaba. Días después los chicos se enteraron de que ocupaban los primeros cinco lugares de la lista de los cien éxitos musicales de la importante revista *Billboard*. Y no sólo eso, aparecían un poco más atrás otras siete canciones suyas, a las que se sumarían, ocho días después, otras dos.

El 23 de abril John abandonó el rodaje de *A Hard Day's Night* para asistir al Banquete Literario de Foyle's dado en su honor. Fue acompañado sólo por Brian, pero el ambiente no le gustó, ya que flotaba la pedantería en el aire. Los gestos y actitudes de soberbia de algunos asistentes realmente le repugnaron. Se le quedó viendo a su cigarro: de seguro cada que aspiraba y expedía el humo ponía la misma cara pedante de aquellos, así que decidió… no dejar de fumar, pues se sentía muy nervioso, sino hacerlo de un modo neutro.

La anfitriona, Christina Foyle, le pidió que dijera algunas palabras, pero John para ese momento ya se sentía tan fastidiado que sólo dijo:

—Muchísimas gracias y que Dios los bendiga a todos ustedes.

EL PAYASO GENIAL

49

EL PAYASO GENIAL

—Dios, ¿eso es todo? —dijo para sí la creadora del Círculo Literario Foyle, sonrojándose. ¡Quién se creía ese tipo! Cómo era posible que la pusiera en ridículo ante la comunidad literaria y algunos otros artistas invitados.

Sin duda, la fama y el dinero no podían llenar el vacío de John. Todo podía ir de maravilla afuera, pero por dentro estaba destrozado.

El resquemor de John contra Paul McCartney aumentó cuando, después de que Lennon hizo en televisión el papel femenino de Tisbe, de la obra de Shakespeare, *Sueño de una noche de verano*, se enteró que McCartney le puso Tisbe a su gata. ¿Acaso pretendía burlarse de él?

Lennon estaba cada vez de peor humor. En las vacaciones que Los Beatles tomaron en mayo de 1964, John contestó muy agresivamente a un periodista, quien le preguntó en Tahití por qué él y Cynthia habían estado tan poco tiempo en Hawaii. ¡Acaso no podían dejar de acercarles los micrófonos ni siquiera en su tiempo de descanso!

Poco después apareció un sencillo de Peter and Gordon con una canción compuesta únicamente por Paul: "Nobody I Know". Esto inquietó un poco a John. Con el tiempo, el que McCartney trabajara de forma individual daría al traste con Los Beatles.

John habría de seguir el ejemplo, grabando un álbum con Yoko en 1969 *(Give Peace A Chance)* cuando se cansó de que Paul actuase como si fuera el jefe del grupo.

En su visita a Amsterdam, a la que no los acompañó Ringo, por estar éste muy enfermo, John, Paul y George revivieron sus días en Hamburgo: fueron al barrio de prostitución y se la pasaron ahí, hasta la madrugada. En buena medida John había arrastrado a sus compañeros ahí hastiado de que la mayoría de sus fans en esa ciudad fueran hombres. Él requería de la cercanía de las mujeres, como si ellas fuesen una droga. Realmente le calmaban los nervios las muestras femeninas de cariño.

Lennon reconoció en alguna ocasión que él realmente tenía muy poco atractivo para las mujeres, pero que en cuanto llegó a la fama pudo tener sexo con cuantas chicas quiso; sin embargo, él deseaba que lo amaran de verdad, tal y como era, y no que lo adoraran por lo que representaba dentro del mundo del espectáculo.

Ya como beatle exitoso, tuvo algunas decepciones amorosas, y éstas se reflejan en varias de sus canciones, por ejemplo: en "I'm Loser", que incluiría en su siguiente álbum, *Beatles For Sale* (Beatles a la venta), un título muy al estilo de los juegos de palabras de Lennon.

"I'm Loser" es una pieza fundamental para entender a John Lennon, quien declaró que en ella quería expresar con claridad qué era lo que sentía acerca de sí mismo. Por esta razón, la autocompasión no podía estar ausente en la letra. Los gemidos de dolor de John están a un paso del llanto por conmiseración, pero la soberbia se resiste a mostrar al niño desvalido dentro del hombre (más adelante ese niño podrá manifestarse con libertad, gracias a los cuidados maternales de Yoko).

Las partes clave de la canción son las siguientes:

I'm a loser, I'm a loser,

(Soy un perdedor, soy un perdedor)

And I'm not what I appear to be…

(Y no soy lo que parezco ser)

She was a girl in a million, my friend…

(Ella fue una chica en un millón, mi amigo)

I should have known

(Yo debí haber sabido)

She would win in the end

(Que ella ganaría al final)

Although I laugh and act like a clown

(Aunque yo río y actúo como un payaso)

Beneath this mask,

(Bajo esta máscara)

I am wearing a frown.

51

¡A
U
X
I
L
I
o!

(Estoy llevando un ceño fruncido)

My tears are falling like rain from the sky,

(Mis lágrimas están cayendo como la lluvia del cielo)

Is it for her or myself that I cry?

(¿Es por ella o por mí que lloro?)

En 1970, al hablar del contenido de esta canción, Lennon afirmó:

—Una parte de mí cree que soy un perdedor y otra parte piensa que soy Dios Todopoderoso.

¡Auxilio!

La pelea bajo el agua entre John y Paul por el liderazgo de Los Beatles, hizo que *Beatles For Sale* fuera el último disco en el que Lennon y McCartney realmente colaboraron. Mientras John se afianzaba cada vez más en sus raíces rocanroleras, Paul se volvía cada vez más *pop*.

Los *covers* que cantó John en este disco requerían una voz rebelde y potente, la emoción de alguien necesitado de hacer una catarsis. De este modo, "Rock and Roll Music", de Chuck Berry, suena magistral a cargo de Lennon, en tanto que "Mr. Moonlight", de Roy Lee Johnson, es cantada a la manera de "Twist And Shout", a pleno pulmón, con gritos berreantes con los que pretendía expulsar fantasmas del alma. Lennon la adoró desde el primer momento y no dudó en proponer que la incluyeran en este álbum.

Poco antes de meterse al estudio a grabar *Beatles For Sale*, los muchachos fueron a Australia. Ringo había sido sustituido durante doce días por el baterista Jimmy Nicol, pero ya estaba en perfectas condiciones para volver a aporrear la batería. Sus compañeros lo recibieron con una gran fiesta a la que asistieron muchas chicas, así que el evento se convirtió en una verdadera orgía, que duró hasta las cuatro de la madrugada.

En Australia se vio que el mal humor de Lennon había empeorado mucho. En Sydney pidió a los periodistas que asistieron a la rueda de prensa que no exageraran las respuestas que él diera pues, a fin de cuentas, seguramente ellos trabajaban sólo para periodiquillos insignificantes. Al llegar a Melbourne, el gentío y el escándalo fuera de su hotel eran tan grandes que John se enardeció ante el panorama parecido a un mitin en apoyo a Hitler y, desde el balcón, hizo el saludo nazi y gritó, con todas sus fuerzas:

—¡Sieg Heil! (Victoria segura.)

Al día siguiente, en la recepción que le dio EMI al grupo en un salón del mismo hotel, John explotó contra los ejecutivos de la compañía.

—¡Qué mierda es esto! ¡Cómo se atreven a poner esta portada a *With The Beatles*! ¿Por qué desecharon la original?

—Mira, John —le trató de explicar un directivo—, las normas del sindicato aquí, en Australia, exigen que se tome una fotografía a todas las portadas hechas en el extranjero para rehacerlas, sin embargo...

—Esto es una mierda.

—Escucha —intervino otro—, si se hubiera hecho a la manera de este país, se habría obtenido una imagen borrosa, de baja cali...

—¡Ésta es una porquería de los demonios!

De vuelta en Sydney, al entrar al estadio con el nombre de la ciudad, a John le reventó un huevo en un pie. Volteó hacia donde creyó que había provenido ese proyectil y gritó:

—¡Hey!, ¿crees que soy una ensalada? —realmente estaba enojado.

De ahí a Nueva Zelandia, donde las maoríes los recibieron a besos con frotamiento de narices. John se puso contento y bromeó:

—Mi esposa va a matarme si se entera.

¡AUXILIO!

53

¡A
U
X
I
L
I
o!

Muy buena broma, por cierto, ya que tanto los cuartos de Los Beatles como los de sus acompañantes: Neil Aspinall (mánager de giras), Mal Evans (guardaespaldas) y Derek Taylor (encargado de prensa) siempre estaban llenos de esa clase de chicas que sólo van tras los músicos de rock para darles sexo, sin compromiso de ninguna especie, para después presumir que fueron las mujeres de sus ídolos.

—Si no había *groupies* —decía Lennon—, como ahora se llama a ese tipo de fans, entonces teníamos putas y de todo, pasara lo que pasara.

Pese a esto, como decíamos antes, John enfrentaba decepciones amorosas con quienes realmente le interesaban. Como era casado, a veces disfrazaba las situaciones de infidelidad en las letras de sus canciones, pero en ocasiones hablaba con crudeza de lo que sentía. Después de todo, "I Don't Want To Spoil The Party" ("No quiero estropear la fiesta"), una de sus composiciones incluidas en el LP *Beatles For Sale*, podía pasar como otra pieza compuesta alrededor de un amor inventado.

En esta canción, que fue relegada al antepenúltimo lugar del lado B, John habla de una fuerte desilusión:

I don't want to spoil the party so I'll go,

(No quiero arruinar la fiesta, así que me iré)

I would hate my disappointment to show.

(Odiaría mostrar mi decepción)

There's nothing for me here so I will disappear,

(Aquí no hay nada para mí, así que desapareceré)

En octubre les fue entregado el guión de su siguiente película, que tentativamente se llamaría *Eight Arms To Hold You* (Ocho brazos para amarte), pero que terminaría titulándose *Help!* Lennon aborreció también esta historia. Los Beatles tendrían que hacer de nuevo el papel de payasos. Después, al ver el filme terminado, lo calificó con una palabra: "¡Basura!"

Sin embargo, el tema musical de la película, compuesto por él, es uno de los más personales y da una clara idea de lo que estaba sintiendo John en esa época. Las relaciones con los demás, principalmente con las mujeres, lo metían en profundas reflexiones acerca de quién era realmente John Lennon. Además, ya no sabía qué hacía dentro del grupo.

"Help!" era el grito desesperado de alguien a punto de ahogarse:

¡AUXILIO!

Help me if you can, I'm feeling down...

(Ayúdame si puedes, me siento deprimido)

Help me get my feet back on the ground...

(Ayúdame a poner de nuevo los pies sobre la tierra)

And now my life has changed in oh so many ways,

55

¡A
U
X
I
L
I
O!

(Y ahora mi vida ha cambiado de muchos modos)

My independence seems to vanish in the haze...

(Mi independencia parece desvanecerse en la neblina).

Los problemas de personalidad y de percepción de la realidad habían venido agravándose en Lennon por el uso de drogas que, al igual que en sus estancias en Hamburgo, les permitían a Los Beatles mantener un acelerado ritmo de trabajo (cualquier artista de hoy reventaría cumpliendo todos los compromisos que tenían ellos). Acostumbraban consumir estimulantes en los aviones, porque sabían que en cuanto aterrizaran no tendrían la suficiente privacidad para hacerlo.

En realidad, como decía Dylan, las drogas ayudaban también a aumentar la creatividad de las personas con talento. Lennon, gracias a ellas, podía destapar algunas partes de su ser y expresar con mayor precisión lo que encontraba.

La lástima de sí mismo y el dolor por las decepciones amorosas vuelven a aparecer en otras canciones del LP que contendría la música de la película, como en "You've Got To Hide Your Love Away" ("Tienes que esconder lejos tu amor"). John declaró que pertenecía a su "etapa Dylan". La letra era un recuerdo de su adolescencia, cuando "acostumbraba escribir poesía, aunque siempre trataba de esconder mis verdaderos sentimientos".

El álbum *Help!* es fundamental por ser el disco en que John alcanzó su madurez como poeta y músico y en el cual demostró que sólo él podía encargarse de las piezas de rock pesado y rebelde. Él calificó a "Ticket To Ride", la última canción del lado A de *Help!*, como "precursora del rock duro". Basta escuchar el comienzo para saber que tenía toda la razón.

Los Beatles trabajaron en este álbum y en la filmación de la película a principios de 1965. John casi siempre estaba borracho durante el rodaje e insultaba a "los bastardos de clase media" que, en las Bahamas, se atrevían a criticar el trabajo y el comportamiento de él y sus compañeros.

Ese mismo año fueron nombrados caballeros de la Orden del Imperio Británico (MBE). Muchas personas conservadoras que habían obtenido la medalla correspondiente, la devolvieron muy indignados, aunque en realidad esa condecoración ocupaba el lugar 120 de los 126 títulos que, con preferencia, otorgaba Su Majestad la Reina Madre a sus súbditos. Años después, en 1969, John Lennon también devolvería su medalla, como protesta contra el apoyo que daba la Gran Bretaña a Estados Unidos en la guerra de Vietnam.

John fue el único beatle que se sintió descontento con ese nombramiento. Sentía que decepcionaba a sus fans y traicionaba sus principios.

—Creía que para obtener esta medalla tenía que disparar tanques y matar gente —dijo para responder a los militares que se habían sentido ofendidos por compartir el título de miembros del Imperio con un grupo de melenudos.

John le pidió a Mimi que le guardara la medalla y ella la puso sobre la televisión, donde permaneció hasta que él se la pidió para devolverla.

La música real

Después de grabar el álbum *Help!*, John y George propusieron a sus compañeros y a Brian Epstein que dejaran de realizar giras y se metieran al estudio a hacer cuidadosamente la música que realmente les gustara. Paul también se había cansado de escribir letras comerciales y de que el público que asistía a los conciertos no fuera con el interés de escuchar las canciones, sino sólo a verlos a ellos y a gritar ensordecedoramente.

—Empezábamos a mejorar en la técnica musical —declaró John años después—, de modo que estábamos listos para adueñarnos del estudio de grabación. Éramos más formales en cuanto a hacer un álbum e incluso nos encargamos de la portada.

57

El nuevo disco no sería una colección de canciones sacadas en sencillos más algunas apresuradas composiciones nuevas. Este LP tendría unidad y armonía entre sus piezas.

La mayor parte del álbum se grabó en octubre. El 12 de este mes trabajaron en "Norwegian Wood", de George, quien declaró después:

—Había tratado de escribir acerca de una aventura amorosa de modo que mi esposa no fuera capaz de descifrar lo que estaba contando.

Se trataba de una relación que se le había salido de control.

Paul, como en otras ocasiones, aportó el título del disco: *Rubber Soul* (Alma de soul). Hay quienes opinan que este nombre hace burla de los blancos que tratan de tocar y cantar como los negros, pero John afirmaba: "No había gran misterio en ello. Sólo se trataba de un juego de palabras", como los que incluía Dylan en sus canciones.

John siempre amó jugar con los significados de las palabras (e inventar términos, según sus necesidades artísticas, políticas o de catarsis), y muestras de ellos están regadas por las canciones de Los Beatles y de John como solista. Además, acostumbraba cambiar la letra de las canciones a la hora de cantarlas en vivo; si bien es cierto que a veces se le olvidaba ésta, en ocasiones lo hacía sólo por juego, para variar el significado de la canción. Por ejemplo: siempre que entonaban "A Taste Of Honey" ("Un sabor a miel"), en los coros Lennon decía "A waste of money" ("Una pérdida de dinero").

Otra pieza fundamental de *Rubber Soul* es "Nowhere Man". John la escribió un día en que estaba aburrido y muy confundido. Se sentía poco creativo, así que empezó a pensar en alguien de ninguna parte, sentado, haciendo planes para nadie. Pero hubo otra voz que le dijo: "Hey, el mundo está a tus órdenes".

La canción "Girl", aseguró Lennon tiempo después, realmente hablaba de Yoko Ono, aun cuando él todavía no la conocía.

El disco se empezó a vender en diciembre de 1965. El público quedó realmente impresionado ante el avance tremendo que se había dado en las letras de Lennon: ya no trataban de vivencias amorosas de adolescentes, sino que exploraban el interior del ser humano en sus momentos de desesperación.

A comienzos de 1966 debían filmar su tercera película, pero se pospuso por no haber ideas claras acerca de cómo sería ésta. Años después, cubrieron su compromiso con la cinta de dibujos animados *Yellow Submarine.*

En su siguiente álbum, titulado *Revolver,* John se sintió muy molesto por el hecho de que el público considerara que "Eleanor Rigby" era una pieza totalmente de McCartney. "En realidad yo escribí la mitad o más de esta canción", declaró Lennon más tarde.

Otra composición destacable de este álbum es "Im Only Sleeping", que habla del anhelo de Lennon de entregarse a la pereza y dejar que los pensamientos fluyan libremente mientras la droga recorre sus venas y hace estallar su cerebro en imágenes deslumbrantes.

Ya desde la portada del álbum, un dibujo de su amigo de Hamburgo, Klaus Voormann, se podía advertir que el disco era una exploración por nuevos caminos creativos. Las drogas eran el vehículo, y el combustible: la paranoia y la angustia de Lennon.

En los anteriores álbumes de Los Beatles, John mostraba su temor a ciertas situaciones de la vida, a estar solo o con gente que no entendiera del todo sus ideas sobre el arte, pero ahora empieza a manifestarse también su pánico a la nada y sus reflexiones acerca de esa pareja aterradora: vida y muerte. Todo esto se refleja en "She Said, She Said".

La letra se le ocurrió a John después de una reunión en la que se estuvo consumiendo LSD (dietilamida del ácido lisérgico), fármaco *psicodélico,* es decir, alucinógeno, pues altera el estado del ánimo y el mental, así como la percepción del espacio y del tiempo. Por estas características, en la década de los sesenta fue la droga preferida de los músicos de rock de Estados Unidos e Inglaterra, quienes buscaban acrecentar su creatividad. Es así como surgió la psicodelia, un fenómeno artístico caracterizado por obras que pretendían reflejar ese mundo colorido y aparentemente ensanchado que percibía la mente por los efectos del LSD.

59

L
A
M
Ú
S
I
C
A

R
E
A
L

Pues bien, en aquella reunión psicodélica, el actor Peter Fonda, hijo del célebre Henry Fonda, se le acercó a John y le dijo: "Sé lo que es estar muerto". Y estas son algunas de las palabras con las que comienza la canción:

She said: "I know what it's like to be dead".

(Ella dijo: "Yo sé cómo es estar muerto")

"I know what it is to be sad",

("Yo sé lo que es estar triste")

And she's making me feel like I've never been born.

(Y ella está haciéndome sentir como si yo nunca hubiera nacido)

A partir de entonces, la muerte fue un tema recurrente en sus canciones. "Tomorrow Never Knows" (la pieza más compleja, musicalmente hablando, de *Revolver*), en su título nos indica que habla del mismo asunto. En efecto, el mañana nunca se sabe. Sólo hoy estamos vivos. ¿El mañana? Es una falacia. Por eso:

Play the game "Existence" to the end

(Juega el juego "La Existencia" hasta el final)

A Lennon le angustiaba la posibilidad de que la conciencia del ser humano desapareciera tras la muerte corporal. Así que, después de leer *El libro tibetano de los muertos*, se puso a trabajar en "Tomorrow Never Knows". En el aspecto musical, se le ocurrió que la música de esta pieza fuera tocada al revés. Esto da una atmósfera maravillosa a la canción, tan fantástica (es decir, de fantasía) como la vida misma.

Después, tanto los mismos Beatles como muchos otros músicos del rock, utilizarían el recurso de la cinta tocada al revés en sus canciones.

60 Pese a su importancia, "Tomorrow Never Knows" fue relegada al último lugar del LP.

Por otra parte, "Doctor Robert" es la primera canción de Lennon dedicada a las drogas. Habla de un médico de Londres que las conseguía a todos los roqueros interesados en ellas. John no se ocupó de cambiarle el nombre a dicho doctor, pues deseaba hacer una canción de tono cínico.

La última gira de los Beatles fue en Estados Unidos, a donde arribaron el 11 de agosto de 1966. El ambiente había cambiado ahí tras la publicación, en la revista estadounidense *Datebook*, de una entrevista a John Lennon, en la que éste decía: "Ahora somos más populares que Cristo". Los ejemplares estaban en los puestos de periódicos desde el 29 de julio, es decir, pocos días antes de que Los Beatles pisaran de nuevo suelo estadounidense, por lo que ya los esperaban los enfurecidos miembros del Ku Klux Klan y grupos de cristianos fanáticos para estropear sus presentaciones.

En los estados sureños el enojo era mayor. Las emisoras de radio de Texas invitaron a sus escuchas a reunirse en determinados lugares para quemar todo cuanto tuvieran acerca de Los Beatles. En Carolina del Sur, el Gran Dragón del Ku Klux Klan pidió que dispusieran una cruz de madera en un sitio público y se acercó a ella ceremoniosamente con un disco de Los Beatles en una mano y un martillo en la otra. Después de esta "crucifixión", se hizo arder todo.

John declaró a la prensa:

—Yo no dije que Los Beatles fueran mejores que Dios o Jesucristo. Dije "Beatles" porque me es fácil hablar de ellos. Pude haber dicho "la televisión o "el cine" o cualquier otra cosa, y no hubiera pasado nada.

Un periodista intervino:

—Un locutor de Alabama quiere que le pidas perdón.

—Ok, le pido que me perdone.

Tiempo después volvió a hablar del asunto:

—No podía esconderme sabiendo que había hecho brotar el odio en una parte del mundo, así que ofrecí disculpas.

El último concierto de Los Beatles fue el 29 de agosto de 1966 en San Francisco, ante veinticinco mil personas. John referiría que casi se desquiciaron al ver que ahí, al igual

"Y
O
K
O

A
N
D

M,
E"

que en Europa y Australia, había gente que llevaba a enfermos o minusválidos, creyendo que Los Beatles los curarían con sólo tocarlos o besarlos.

"Y pensar que hace sólo algunos días casi me queman por lo de Jesucristo", se dijo a sí mismo.

El 5 de septiembre John tomó un avión para Alemania, donde filmaría *How I Won The War* (Cómo gané la guerra), dirigida por Richard Lester, el director de la primera película de Los Beatles, *A Hard Day's Night*. Lennon había aceptado porque era un filme antibélico y porque se habían acabado, por fin, las odiosas giras. Además, sabía que tenía que estar en actividad, para no deprimirse ante el cambio de vida que representaba el dejar de correr de un lado a otro del mundo.

Para este filme, se cortó el pelo y se puso unas gafas redondas, que desde entonces fueron parte de su indumentaria. Después descansó unos días en París con Paul y Brian Epstein. Su esposa Cynthia estuvo con él durante el rodaje en España. Ahí se alojaron en una mansión de Almería.

"YOKO AND ME"

El 9 de noviembre de 1966, en la librería y galería Indica, que estaba en Mason's Yard, Londres, y pertenecía a unos amigos de Los Beatles, se estaba montando una exposición de una artista japonesa llamada Yoko Ono. Ella había nacido en Tokio, el 18 de febrero de 1933, y su primera exposición, de lienzos sin pintar, la había hecho estando aún muy joven, en su ciudad natal. Después emigró a Estados Unidos. Había estado casada con un pianista y en esos momentos su marido, llamado Anthony Cox, se estaba encargando de cuidar a la hija de ambos, Kyoko.

John, interesado por las nuevas tendencias del arte, fue un día antes de que se inaugurara la muestra, llamada *Pinturas Inacabadas y Objetos*. Lo primero que llamó su atención fueron un cuadro y una lupa que colgaban del techo. Subió por una escalera de tijera y tomó la lupa para leer algo pequeñísimo escrito en el cuadro: "Sí".

Si hubiera dicho "No" o "A la mierda" o algo así —comentó años después ante la televisión— me hubiera ido de ahí de inmediato. Pero decía "Sí", lo cual me pareció muy positivo.

Uno de los dueños se había acercado en esa ocasión para presentarle a Yoko. Ella dijo no saber quién era John. Ésta era una gran mentira, pues Yoko vivía en Estados Unidos desde 1952, en Nueva York, a donde arribaron los Beatles por primera vez en su primera gira a Estados Unidos. No pudo no haberse enterado de la conmoción causada en esa ciudad por el grupo. Los rostros y nombres de los chicos aparecieron en televisión ante millones de espectadores y en horarios estelares, y en toda clase de artículos, como lápices de colores, playeras, gorras y hasta en medias de mujer.

Cuando Yoko Ono viajó a Londres para montar su exposición, a principios de noviembre, fue directamente a buscar a Paul McCartney, quien vivía por entonces en el departamento de uno de los copropietarios de la galería Indica, para pedirle un manuscrito de una de las canciones escritas por él y por Lennon. A Paul no le agradó la tipa ni su interés en obtener aquello sólo para regalárselo a un amigo de ella, llamado John Cage, en la fiesta de su cumpleaños número cincuenta. Así que se negó a darle el manuscrito, pero le dijo a la mujer que buscara a John Lennon, pues tal vez él sí le daría lo que buscaba.

—Sólo he escuchado hablar de un... un tal Ringo —le había dicho Yoko Ono a Lennon en cuanto fueron presentados.

Después de ese primer encuentro con Yoko, John tuvo que volver a España para terminar de rodar *How I Won The War*.

El 24 de noviembre, Lennon se reunió con los otros Beatles en Abbey Road para grabar nuevo material. Comenzaron con "Strawberry Fields Forever" ("Campos de fresa por siempre"), acerca de la que John declararía:

—Lo que trataba de expresar es que... yo siempre estuve enconchado. Lo fui en el kínder. Era diferente a los otros. Toda mi vida lo fui. La segunda estrofa dice:

"Y O K O A N D M E"

63

"Y

O

K

O

No one I think is in my tree

(pienso que nadie está en mi árbol)

Y unas líneas atrás, la canción manifiesta:

Living is easy with eyes closed...

A

N

D

(Vivir es fácil con los ojos cerrados)

M

E"

En esta canción, John seguía el desarrollo de la conciencia por medio de imágenes que saltan de un panorama a otro como cuadros dispersos de la vida de un niño angustiado.

Mientras los muchachos trabajaban en las canciones que, finalmente, serían incluidas en el álbum *Sgt. Pepper's Lonely Hearts Club Band*, aparecieron dos obras en las que Paul había trabajado por su cuenta: la película *The Way Family*, cuya música había sido compuesta totalmente por Paul. John tenía, legalmente, el derecho de cobrar la mitad por ese trabajo, pero se negó a hacerlo ante el ofrecimiento de Paul, quien insistió: "Vamos, no seas tonto".

La otra obra fue el disco de Navidad de Los Beatles titulado *Pantomime: Everywhere It's Christmas*. El título y las dos canciones eran de Paul, quien además diseñó la portada.

No pararía ahí el trabajo del principal competidor de John Lennon. Después de escuchar el álbum *Pet Sounds*, de The Beach Boys, una excelente muestra de mezclas experimentales de estudio, el sonido le fascinó. Sabía que contaba con el talento para igualar algo así (finalmente, *Sgt. Pepper's Lonely Hearts Club Band* superaría, por mucho, a *Pet Sounds*) y se le ocurrió la idea de grabar un álbum imaginando que se trataba de otra banda. Así tendrían toda la libertad para experimentar sin sentirse atados al sonido beatle. Ya tenían experiencia en la música de estudio, imposible de tocar en un escenario. Su último LP, *Revolver*, los había perfeccionado técnicamente.

Nuevamente, Paul ya había pensado en todo, incluido el nombre y el vestuario de la nueva banda, y hasta había hecho bocetos de la portada.

John declaró, tras la disolución de Los Beatles:

—Un buen día Paul llegó y nos dijo: "Vengan a ver el espectáculo".

Años después de la publicación de este álbum, John mencionó que ni siquiera lo vio.

Al empezar a trabajar en el álbum ideado por McCartney, John se sentía vacío. No era capaz de componer casi nada que valiera la pena, mientras que Paul creaba sin descanso piezas con buen sonido pop. Finalmente, Lennon aportó "Lucy in the Sky with Diamonds" que, por su nombre y sus imágenes fantásticas al estilo de *Alicia en el País de las Maravillas*... y de la *psicodelia*, le pareció a los críticos un himno al LSD, pero Lennon siempre aseguró que la pieza estaba inspirada en un dibujo de su hijo Julian.

John, pese a sus celos profesionales, colaboró con gusto en una composición de Paul: "She's Leaving Home" ("Ella se va de casa"). Lennon dijo: "Todas esas cosas como: 'Sacrificamos lo mejor de nuestra vida, le dimos todo lo que se

"Y
O
K
O

A
N
D

M,
E"

65

puede comprar con dinero', eran como las que acostumbraba decirme la tía Mimi."

Pero, en términos generales, se mantuvo al margen. Participó rara vez en las reuniones para definir la portada y se molestó cuando Paul se negó a incluir a Jesús y a Hitler, propuestos por él, entre los personajes de la misma.

El disco salió a la venta el 1 de junio de 1967 en Inglaterra, y al día siguiente en Estados Unidos, por lo que produjo una ola de depresión entre los músicos roqueros de ambos lados del Atlántico: Los Beatles siempre habían sido buenos y tenían esperanzas de superarlos, pero ahora eran los mejores.

Entre la grabación y la salida al mercado del *Sargento Pimienta*, Paul había llegado ante sus compañeros con otra idea: Una película alucinante para la televisión que se llamaría: *Magical Mystery Tour*.

John:

—Paul acostumbraba llegar y decir que había escrito diez canciones y que quería ir de inmediato a grabarlas. Yo le respondía: Bueno, dame algunos días y me desharé de algunas cuantas. Él armó *Magical Mystery Tour* junto con Mal Evans, el encargado de transportar nuestro equipo... Ya tenía todo, la historia, la producción y varias composiciones. George Harrison y yo murmurábamos, tú sabes: "Maldita película, ni modo, hay que hacerla".

La película fue un fracaso, pero el álbum fue mejor recibido, en noviembre de 1967. Respecto a "I Am The Walrus" ("Soy la morsa"), John diría:

—Yo era la Morsa, sea lo que sea que eso signifique. La morsa era un gran capitalista... nunca investigué realmente qué era la morsa, pero es un hijo de puta, eso era lo que terminaba siendo. Toda la gente cree que significa algo, pero es sólo poesía.

Resultó ser una canción que no decía nada, sólo quería confundir a sus odiados críticos, darles material para que se entretuvieran un buen rato, pues ya mucho lo habían fastidiado interpretando a su manera cualquier cosa que Lennon dijera o cantara.

El 11 de mayo grabaron "Baby You're A Rich Man". Pensaban que esta canción estaría bien en la película *Yellow Submarine*, pero terminó incluyéndose en el disco *Magical Mystery Tour*. En los coros finales, John se refería a Brian Epstein con estas palabras:

"Y
O
K
O

A
N
D

M
E"

> Baby you're a rich man too
>
> (Nene, tú también eres un hombre rico)

Pero se decía que John había incluido también algo que agredía a Eistein:

> Baby you're a rich fag Jew
>
> (Nene, eres un rico marica judío)

Este rumor es difícil de comprobar. Lo que sí sabemos es que John fue el más conmovido de los Beatles cuando recibieron la noticia de que Brian Epstein había muerto el 27 de agosto de 1967. Días antes, habían conocido al Maharishi Maesh Yogi, instigados por Harrison. El Maharishi, un anciano hindú, era el líder de la Liga de la Regeneración Espiritual, la cual difundía las técnicas de meditación trascendental de la India. El hombre se había presentado en la Escuela Normal de Bangor, en Gales, el 25 de agosto de 1967. Harrison había comprado los boletos para que sus compañeros Beatles lo acompañaran al evento.

Después de la noticia del deceso de Epstein, los chicos buscaron a su nuevo maestro quien, como dijo Lennon, les mencionó:

—Qué importa, él está muerto... Olvídenlo y sean felices, como idiotas, sonrían.

—Eso es lo que decía el Maharishi, y nosotros lo hicimos.

Pero, continuaba Lennon:

—Yo tenía esa rara sensación que se experimenta cuando se muere alguien cercano: una especie de ligero ja, ja histérico, "qué bueno que no fui yo", o algo así —y aquella vez

"Y
O
K
O

A
N
D

M
E"

trató de sincerarse—: "Brian me caía bien y me relacioné mucho con él durante varios años porque no quería que un extraño se encargara de mis asuntos, eso es todo. Me sentía muy unido a Brian, todo lo ligado que se pueda estar a alguien que tiene una clase de vida maricona.

De vez en cuando se ponía en crisis y mandaba todo a la mierda. Se encerraba en su cuarto por días o se perdía y luego aparecía golpeado por ahí.

Nunca hubiéramos triunfado sin él... Desde un principio, nosotros pusimos el talento y él era el estafador, pero realmente nunca pudo obligarnos a hacer lo que no queríamos". Explicó Lennon en un entrevista.

Lennon volvía a enfrentarse al fantasma de la muerte que parecía estarlo persiguiendo desde sus primeras experiencias con el LSD. Su nuevo "padre", el Maharishi, podía ayudarlo a escapar del terror. Desde un principio quedó fascinado por él porque era un tipo que se había levantado de la nada y predicaba la ayuda a los demás.

John y George siempre se interesaron por realizar acciones en beneficio de la sociedad, esto en buena medida debido a las palabras que les dijo otro divulgador de las enseñanzas del Bhagavad-Gita, Srila Prabhupada, fundador de la Sociedad Internacional para la Conciencia de Krishna. Entre otras cosas, les había enfatizado a John Lennon, Yoko Ono y George Harrison que nada de este mundo vale tanto como el ser felices y hacer felices a los demás. (A diferencia de ellos, Paul se interesó sólo en el dinero. Su interés por sus congéneres no fue más allá de aquellos conciertos de caridad de sus inicios, antes de la beatlemanía.) También les dijo que el hecho de que fueran tan famosos los comprometía a divulgar el mensaje de amor y paz.

Después del funeral de Brian, Paul propuso que siguieran con el proyecto de la película de *Magical Mystery Tour*. Pero él seguía llevando la batuta de todo. En una ocasión le pidió a John que trabajara cierta escena.

—Puta madre —comentó años después John, acerca de lo que sintió en ese instante—. Así que fui y compuse la secuencia onírica de la mujer gorda y todo aquello de los espaguetis. Luego George y yo estábamos quejándonos de la jodida película.

Se puso de mejor humor cuando dirigió una secuencia con chicas en bikini.

El 11 de octubre de 1967 se inauguró otra exposición de Yoko llamada *Yoko Plus Me*, pero debió llamarse "Yoko y John". Lennon puso el dinero.

Él se pasó varias noches sufriendo con el libro de Yoko, *Grapefruit*, que decía cosas como: "Pinta hasta caer" y "sangra".

—Me decía cosas bonitas y estaba muy bien, pero luego me soltaba algo fuerte y eso no me gustaba. Después ella vino y me pidió ayuda para una exposición con el tema: "La mitad", y le presté dinero para que la terminara.

John posteriormente bautizaría como Grapefruit a uno de los grupos que apoyaba Apple, la empresa creada casi tres meses después de la muerte de Brian, para que manejara todos los asuntos de Los Beatles. Como ninguno de ellos tenía idea de cómo hacer negocios, sus finanzas poco a poco fueron deteriorándose.

El 18 de octubre se estrenó en Londres *How I Won The War*. Todos los Beatles asistieron con sus respectivas parejas. El fantasma de Yoko Ono ya pesaba mucho sobre el matrimonio Lennon, y poco después lo haría sobre Los Beatles mismos.

El 5 de enero de 1968, John volvió a ver a su padre. Fue en Kenwood, Inglaterra. El asunto se facilitó porque Alfred Lennon trabajaba lavando platos en un hotel cercano a la casa de John. En una entrevista al periódico *Daily Mirror*, éste dijo que ya no había problema alguno con su padre.

—Espero que estemos en constante contacto, a partir de este momento.

Ya metidos en el asunto de la meditación trascendental, Los Beatles fueron a la India en febrero de 1968. Los acompañaron el cantante Donovan, la actriz Mia Farrow y la hermana de ésta, llamada Prudence (a ella John le compuso la canción "Dear Prudence"), entre otros miembros de la comunidad artística y roquera. Cynthia estuvo con Lennon.

"Y
O
K
O

A
N
D

M
E"

69

"Y
O
K
O

A
N
D

M
E"

Se pasaron varios días en la Academia de Meditación Trascendental, en Rishikesh, India. Ahí, acomodados en seis casas de piedra, llevaron una vida vegetariana y espiritual guiados por el Maharishi.

Ringo y Paul no soportaron ahí muchos días, así que sólo a John y George les tocó vivir la desilusión respecto al Maharishi. Se decía que había intentado violar a Mia Farrow…

—O a cualquier otra —declaró Lennon—… Así que al día siguiente nuestro grupo fue a verlo. Yo fui el que habló con él, como siempre que hay un trabajo sucio (cuando realmente se presenta un problema, me toca ser el líder). "Nos vamos… Usted sabe por qué." Un buen rato me estuvo mirando, como diciendo: "Te voy a matar, hijo de perra".

Al regresar de la India, John mantuvo comunicación telefónica con Yoko Ono. Le hablaba por las noches, aprovechando que Cynthia no estaba en casa. En una ocasión Yoko fue a la mansión de los Lennon y John se encerró con ella en el estudio a escuchar el material raro que él había estado recopilando desde hacía algunos meses. Ella se mostró muy asombrada.

—Es increíble, realmente artístico, experimental, es como lo que adoro hacer.

—¿De verdad? En serio que nos parecemos en muchas cosas.

—Bueno, vamos a grabar algo juntos —propuso Yoko.

El resultado fue el primer LP de John Lennon sin Los Beatles, antes de la separación oficial. Se denominó *Two Virgins* (Dos vírgenes). Lo grabaron en la casa de Lennon, aprovechando que Cynthia estaba de vacaciones. Cuando ella regresó, encontró a Yoko en su recámara y con su bata puesta.

Two Virgins se publicó en 1968, pero fue prohibido en muchos lugares por una simple razón: La pareja aparecía totalmente desnuda en la portada, en la que se reproducían los versículos del 21 al 25 del Génesis: "25. Y estaban los dos desnudos, el hombre y la mujer, sin avergonzarse por eso."

Como en el asunto de Jesucristo, los demás Beatles se mantuvieron al lado de John, apoyándolo en todo momento ante el embate de las críticas. El escándalo entraba en los terrenos de la vida privada de Lennon: "Ni siquiera era su esposa ésa con la que apareció sin ropa" —comentó la tía Mimi.

Tres días después de grabar su primera cinta juntos, John y Yoko se dejaron ver juntos en la inauguración de la segunda tienda Apple, en la que se vendían todo tipo de artículos de uso personal.

Pocos días después, John se reunió con sus compañeros para grabar el material que habían compuesto en Rishikesh, con el que se conformaría el mundialmente conocido *White Album* (Álbum blanco). Esta obra, consistente en dos LP, se llama, en realidad, simplemente *The Beatles*, un nombre paradójico para un álbum en el que cada beatle compositor trabajó por su lado. Los problemas de Apple, la manipulación del grupo por parte de Paul y la presencia constante de Yoko impidieron el trabajo en común.

Empezaron trabajando con las canciones de Lennon, entre ellas la dedicada a su madre. La pieza se llamaba simplemente "Julia". John la grabó teniendo en mente la imagen de Yoko. Gracias a ella ya no se sentía huérfano.

Ya en Abbey Road, John trabajó únicamente con Yoko en "Revolución 9". Incluyeron todo tipo de sonidos e hicieron toda clase de experimentos para simular una revolución. El 9 del título se debía a la grabación de la voz de un estudiante hablando de la pregunta 9 de un examen y a la repetición de ese número en una cinta de prueba de EMI.

La última pieza del segundo LP del *White Album* era una canción de cuna escrita por Lennon para Julian. Pudo haber sido una despedida de su hijo, pues ya pronto se separaría de Cynthia, pero no era una canción que hiciera juego con el cinismo y la rudeza de John, así que le pidió a Ringo que la cantara. Éste la grabó con músicos de conservatorio, de modo que John ni siquiera intervino como ejecutante de alguno de los instrumentos.

El 1 de julio de 1968, Yoko fue con John a la inauguración de la exposición *You Are Here* (Tú estás aquí), de Lennon. Ambos iban vestidos de blanco. John se sentía dichoso al

"YOKO AND ME"

71

"Y
O
K
O

A
N
D

M
E"

lado de su acompañante y celebró el evento lanzando 365 globos al cielo de Londres.

El 1 de agosto John, iracundo, discutió con Paul acerca de quién terminaría ocupando la cara A del siguiente sencillo del grupo, pero su canción "Revolution" (realmente una de las más incendiarias del grupo) fue relegada al B por una composición de McCartney, "Hey Jude", que estaba dedicada al pequeño Julian Lennon. Paul había empezado a escribirla al ver al niño abatido por la inminente separación de sus padres.

La tensión general era tan grande en el estudio y John estaba tan de mal humor que uno de los ingenieros de sonido renunció a causa de la agresividad de Lennon contra ellos.

Lennon siguió saliendo con Yoko. El 22 de agosto Cynthia fue a los tribunales a presentar la demanda de divorcio por el adulterio de su esposo. Se citó a John, pero él no hizo caso. Dos días después, los adúlteros aparecieron en televisión hablando por primera vez de paz. Este sería su tema constante. Sabemos que John anteriormente había tenido preocupaciones sociales y su canción "Revolución" demostraba ampliamente que tenía ideas políticas propias, pero Yoko no había mostrado ninguna preocupación social anteriormente, ni como artista plástica ni como actriz, por lo cual parecía estar imitando a Lennon. Su interés en política lo había demostrado apenas hacía unas semanas, al trabajar en "Revolution 9". Esto podría ser evidente para cualquiera de los que estaban cerca de ellos, pero no para John, que estaba completamente embelezado con su nueva pareja.

—No había sentido nunca un amor como éste —declaró cuando ya vivía con Yoko— y me llegó tan profundamente que tuve que deshacer mi matrimonio con Cyn. La gente dice que fui egoísta. Bien, no lo creo así. ¿Acaso los hijos se muestran agradecidos cuando tienen dieciocho años?

El 18 de octubre la policía entró a la casa que Ringo les había prestado a John y Yoko, en Londres. Habían recibido una llamada anónima que informaba sobre el consumo de droga en ese lugar. Encontraron resina de cannabis y llevaron a la pareja a la comisaría. Al día siguiente, John y Yoko volvieron al juzgado para pagar una fianza.

El 8 de noviembre se consumó la separación de los Lennon. El tribunal de divorcios otorgó la custodia de Julian a Cynthia.

Tres días después apareció *Two Virgins* en las tiendas de discos de Estados Unidos, con su escandalosa portada. Una de las compañías que aceptaron distribuirlo, lo metió en bolsas de papel con agujeros que sólo dejaban ver los rostros. La foto la había tomado el propio John con una cámara con disparador de acción retardada.

—Estábamos un poco avergonzados cuando nos quitamos la ropa, así que yo mismo tomé la foto. Queríamos demostrar que no estábamos deformes y que nuestras mentes eran sanas. Si conseguimos que todos acepten este tipo de cosas, estaremos logrando nuestro objetivo. No debemos soportar leyes malas y anticuadas. Si las leyes no hubieran cambiado, todavía estarían difamando a los homosexuales y discriminándolos... Hagamos una sociedad correcta. Tiene que venir la revolución.

Yoko Ono abortó, el 21 de noviembre, al hijo que había engendrado con John. Él creyó que esto fue provocado por la angustia que sintió Yoko cuando fueron detenidos.

Permaneció junto a ella todo el tiempo. Por la noche pudo ocupar un tiempo una cama, pero en cuanto le fue requerida por el ingreso de otro paciente, se durmió en el suelo. El suceso le inspiró a Yoko la composición "No Bed For Beatle John" ("Ninguna cama para el beatle John"), del segundo disco de la pareja, *Life With The Lions* (Vida con los leones), el cual publicarían al año siguiente.

Poco después John se declaró culpable de poseer droga. Su abogado dijo que el aborto de Yoko pudo haberse debido a la tensión provocada por la detención policiaca, para que se tuviera compasión a la pareja. John, por su parte, intentó salvar a Yoko de la deportación (ya que no tenía la ciudadanía británica) afirmando que la resina de cannabis era sólo de él.

El último día de noviembre, John y Yoko hicieron la película *Rape*, en la que se mostraba cómo las cámaras perseguían a una jovencita hasta casi hacerla llorar.

"Y O K O A N D M E"

73

"Y

O

K

O

A

N

D

M

E"

—Todos estamos expuestos y presionados —adujo John—. Lo que le pasa a esta chica sucede en Biafra, Vietnam, en cualquier parte.

La casa de los Lennon se puso a la venta el 10 de diciembre. Al día siguiente, John y Yoko fueron a la filmación del espectáculo de los Rolling Stones llamado *Rock And Roll Circus*. Todos los Beatles habían sido invitados, pero sólo asistió John. Cantó "Yer Blues." Luego, la pareja fue a la BBC Radio de Londres para hablar de su álbum *Two Virgins*. El 20 de diciembre, John y Yoko se metieron por primera vez en una bolsa de tela para aparecer en el escenario del Royal Albert Hall en una fiesta navideña. Lo que querían demostrar al meterse completamente en ese saco era que los rostros no importaban, sino lo que pensaran las personas. De este modo deseaban preparar a la gente para que escuchara mensajes de paz y los pusiera en práctica sin

tomar en cuenta quién los dijera. Lo fundamental era que todos se organizaran para conseguir la armonía mundial.

Días después, por lo mal que se llevaban Yoko y George, éste abandonó los estudios de grabación. Por entonces estaban trabajando en otro proyecto sugerido por Paul: el álbum *Let It Be*, que terminaría llamándose *Get Back*. Ambos títulos se habían tomado de canciones de McCartney. A John le había gustado la idea de volver a grabar como en los viejos tiempos, sin tantas mezclas ni efectos de estudio, por eso se mostró muy animado al principio.

Al día siguiente de que George se retiró, Yoko Ono se sentó en el cojín azul de él y se la pasó un buen rato gimiendo. John se hallaba mentalmente ausente, debido a la heroína y constantemente, como en los tiempos de los Quarrymen, olvidaba las letras de las canciones.

Paul había pensado en *Let It Be (Get Back)* como todo un espectáculo. Los Beatles estuvieron de acuerdo en la idea de una película para la televisión que los mostrara trabajando en la composición y arreglos de las canciones de un álbum y, por tanto, se admitió a las cámaras de filmación en los estudios, pero éstas captaron, más que cualquier otra cosa, la tensión del ambiente.

El 8 de enero John y George habían discutido duramente y Lennon había terminado burlándose de las canciones de su colega. Después, John comunicó a sus compañeros que, en adelante, Yoko hablaría por él. Hubo días en los que, desvelado y drogado, John no trabajó para nada. Pero el 27 de enero se animó a grabar una parodia de "Get Back":

Sweet Loretta Fart she thought she was a cleaner.

(Dulce Loretta Fart, que pensó que ella era una limpiadora)

Él bien sabía que la canción se le había ocurrido a Paul al ver el racismo de los ingleses, que consideraban a los inmigrantes de la Commonwealth como una amenaza para la cultura de la Gran Bretaña; pese a eso John dijo, poco antes de morir, que siempre sospechó que esta canción reflejaba los sentimientos de Paul contra Yoko. En realidad,

"Y
O
K
O
A
N
D
M
E"

75

"Y
O
K
O

A
N
D

M
E"

la letra de esta primera incursión de Paul en el terreno de la política había terminado por no significar nada, pues la había cambiado por miedo a la censura por parte del gobierno inglés.

Curiosamente, John se unió a Paul para animar a los otros dos Beatles a terminar *Get Back* tocando en la azotea de Apple, en Savile Row, Londres, el 30 de enero. Después de que la policía interrumpió el concierto, John se despidió, retomando su papel de líder:

—Quiero darles las gracias en mi nombre y el del grupo... y espero que hayamos pasado la prueba —esto último en recuerdo de las veces que fracasaron en sus primeros intentos por entrar a la televisión.

Sería la última muestra de camaradería. En febrero se reavivó el encono, por cuestiones financieras. Dos días antes del concierto, John había nombrado a Allen Klein, mánager de los Rolling Stones, como su asesor financiero. El 3 de febrero Los Beatles lo contrataron como su director de negocios. Paul tenía sus dudas acerca de la confiabilidad de Klein y prefería que el padre de su novia, Linda Eastman (con quien estaba a punto de casarse), se encargara de Apple.

El 2 de febrero se había ratificado el divorcio entre Yoko y Anthony Cox. Los abogados contratados por Lennon habían conseguido que a ella se le cediera la custodia de la hija que habían engendrado, la pequeña Kyoko, sin embargo, Cox mantuvo a su lado a la niña.

John y Yoko empezaron a grabar "Peace Song" ("Canción de paz") en Abbey Road, que reflejaba su sensación de tranquilidad por estar al fin en condiciones de poder casarse, y el 16 de marzo fueron a París para legalizar su relación, pero no pudieron hacerlo, por no haber residido ahí el tiempo que estipulaba la ley para poder casarse: dos semanas. ¡Les pareció una eternidad! Entonces fueron a la embajada alemana de esa misma ciudad, pero ahí les dijeron que debían demostrar tres meses de residencia en Alemania. Días después intentaron subir el ferry que cruzaba el Canal de la Mancha, para casarse, pero no los dejaron abordar, por supuestas irregularidades en sus pasaportes.

Al fin, recibieron el consejo de ir a Gibraltar, una posesión inglesa en España. Volaron allá el 20 de marzo de 1969, en un jet particular. Llegaron cuando el consulado británico apenas estaba abriendo y se casaron. Un poco más de una hora después, ya iban de regreso a París. Esta odisea la contó John en "The Ballad Of John And Yoko" ("La balada de John y Yoko"), en la que colaboró Paul.

AMOR, PAZ Y... MUERTE

El 24 de marzo de 1969, Lennon y su nueva esposa almorzaron con el pintor Salvador Dalí. Al día siguiente fueron a Amsterdam y se encerraron siete días en una habitación del hotel Hilton para hacer una protesta en favor de la paz. Curiosamente, la idea se le había ocurrido a John cuando se enteró por los periódicos que Dick James, un tipo al que Los Beatles habían enriquecido, había vendido sus acciones de Northern Songs, la compañía que controlaba los derechos de las canciones del cuarteto, sin ofrecérselas antes a ellos.

El 31 de marzo, John y Yoko se alojaron en un hotel de Viena, donde se haría el estreno mundial de su película *Rape*. Dieron una conferencia de prensa hablando dentro de un saco blanco.

En abril, a Lennon se le ocurrió la idea de regalar una bellota a cada uno de los dirigentes del mundo, con un mensaje en que se les pedía que la sembraran en un evento en el que hablaran en contra de la guerra de Vietnam. El árbol simbolizaría la paz. Solicitó a Apple que hiciera los envíos. El personal encargado no pudo conseguir fácilmente las bellotas, porque no era temporada, y no las enviaron en mucho tiempo porque en Apple estaban muy ocupados con la promoción de *Get Back* y del sencillo producido por Paul McCartney a Mary Hopkin, una de las cantantes descubiertas y apoyadas por la compañía de Los Beatles.

Desde el 1 de abril, John y Yoko residían de nuevo en Londres. John habló de dos temas ante los medios: del *bagism* (el "saquismo", es decir, del movimiento fundado por ellos para hablar de la paz metidos en sacos blancos) y de su mala situación económica. Esto último, decía, era lo que lo impulsaba a grabar de nuevo con The Beatles.

Durante abril, John y Paul intentaron obtener el control de Northern Songs. Junto con Ringo, controlaban apenas el 30% de la empresa. El día 15, estuvieron a un paso de aumentar su porcentaje gracias al apoyo de algunas instituciones que tenían acciones de Northern Songs. Pero John se había vuelto desconfiado. "No voy a dejar que nos jodan esos tipejos con traje".

John cambió su segundo nombre, Winston, por el de Ono, en la azotea de Apple, el 22 de abril de 1969.

—Yoko cambió su nombre por mí, y yo el mío por ella.

El 24 de abril de 1969, la pareja empezó a trabajar, en Abbey Road, el material de *Wedding Album* (Álbum de boda), que incluye sólo dos piezas. La primera es "John and Yoko", para la que grabaron los latidos de sus corazones; en ella Lennon llama a Yoko y ella a él. La segunda, "Amsterdam", es una entrevista. Al principio se escuchan unos versos en los que se habla de paz, del futuro y, paradójicamente, del bienestar de los hijos (recordemos que John y Yoko habían dejado a los suyos con sus anteriores parejas). En sus respuestas, John habló contra Hitler y afirmó que todos los individuos tenían un Hitler en el alma, pero que él se prefería a sí mismo cuando no era violento. En esa época, John grababa con Los Beatles el material del álbum *Abbey Road*, que sería el último del grupo.

La pareja concedió entrevistas en radio y televisión, en las cuales hablaron de su película *Rape* y de la paz. El 4 de mayo John compró una mansión y las 29 hectáreas que la rodeaban, en Berkshire, Inglaterra.

El LP *Life With The Lions*, de John y Yoko, se lanzó el 10 de mayo con el sello Zapple, que se encargaba de producir los discos raros de Apple. Aparte de la pieza "No Bed For Beatle John", de Ono, incluía "Baby's Heartbeat ("Latidos del corazón de un niño"), en la que, en efecto, se escucha el bombeo de la sangre, además de una conversación telefónica; "Two Minutes Silence" ("Dos minutos de silencio"), que hace efectivo el título: no se oye nada, y "Radio Play"

"Comedia radiofónica". Por supuesto, el álbum fue un rotundo fracaso, como casi todo lo que había hecho Yoko hasta entonces y como el disco que sacaría ella cuatro años después: *Approximately Infinite Universe*.

John había creado discos absurdos por sugerencia de Yoko. La había conocido en la etapa en que él expresaba claramente sus ideas en sus canciones, cuando podía ser concreto sin dejar de ser poeta, pero ella lo había incitado a grabar piezas experimentales en las que los temas debían ser sugeridos, no dichos con claridad.

Los temas que John deseaba manifestar en sus canciones eran la muerte, el amor y la paz, y los pudo expresar de forma magistral en cuanto Yoko dejó de intervenir en sus composiciones. Además de esto, el amor por sus raíces rocanroleras lo salvó del desastre.

En su siguiente álbum sin Los Beatles, *Live Peace In Toronto*, se rescató a sí mismo. El disco apareció como hecho por la Plastic Ono Band, grupo que había formado John luego de que fuera invitado a asistir como espectador al concierto Toronto Rock'n Roll Revival, del 13 de septiembre. Iban a actuar Little Richard, Chuck Berry y Jerry Lee Lewis. John puso una condición para asistir: que lo dejaran tocar. Como no tenía con quién hacerlo, John y Yoko se reunieron con el guitarrista Eric Clapton, con un viejo amigo de Lennon, Klaus Voormann, quien se encargaría del bajo, y con el baterista Alan White.

Antes de subir al escenario con su nueva banda, John vomitó. Se había arrepentido de haber adquirido ese compromiso, pues no habían ensayado lo suficiente y él sentía que su mente no estaba en su lugar debido a que hacía poco había dejado las drogas. La angustia lo dominaba, pero Clapton lo estuvo animando y, como pudo, John llevó adelante el espectáculo.

Live Peace In Toronto, grabado en vivo, incluye covers de canciones de sus héroes estadounidenses y dos composiciones suyas que serían grandes éxitos: "Give Peace A Chance" ("Den una oportunidad a la paz"; se hizo una grabación de este himno el 10 de septiembre, durante su protesta por la paz desde la cama de un hotel en Toronto) y "Cold Turkey" ("Pavo frío"). El título de esta última es

79

una expresión inglesa que se refiere al síndrome de abstinencia de un drogadicto. Lennon habla de sus síntomas en su intento por dejar las drogas fuertes:

Temperature's rising,

(La temperatura sube)

Fever is high,

(La fiebre es alta)

Can't see no future,

(No veo ningún futuro)

Can't see no sky.

(No veo ningún cielo)

Poco antes de viajar a Canadá, habían intentado ir con Ringo a Estados Unidos, para festejar con él por el fin de su película *The Magic Christian*, pero las autoridades no los dejaron entrar, debido a que John había sido arrestado en Inglaterra por posesión de droga.

El 30 de mayo de 1969 se lanzó el sencillo con "The Ballad Of John And Yoko" en la cara A y "Old Brown Shoe", de George Harrison, en la B. La pareja aún se encontraba en su protesta de ocho días en Toronto.

El 1 de julio de ese año, John y Yoko viajaban en auto por Escocia, acompañados por sus respectivos hijos, Julian y Kyoko, y Lennon perdió el control del volante. El niño sufrió una conmoción y a los otros tres debieron suturarles heridas con varios puntos. Por supuesto, no tardó en llegar Cynthia al hospital, para reclamarle a su ex marido su imprudencia y llevarse a Julian con ella. John y Yoko siguieron en el hospital hasta el 6 de julio. Salieron de ahí en un helicóptero y luego volaron a Londres en un jet privado.

El 9 de julio, Yoko acompañó a John a Abbey Road, a pesar de haber resultado más lastimada en el accidente automovilístico. Para que estuviera cómoda, le pusieron una cama en el estudio y colgaron un micrófono para que participara en las sesiones de grabación del álbum *Abbey Road*, las cuales concluyeron el 25 de agosto. Paul realizó bocetos de la portada y después eligió la fotografía que se usaría. John estaba harto del control de McCartney sobre la banda, así que un mes después le dijo a éste que renunciaba. Paul le pidió que no hiciera pública su decisión, pero...

—Seis meses después él se salió con la suya —se quejó Lennon—. Fui muy tonto al no hacer lo que hizo Paul para vender un disco.

En efecto, el 22 de marzo de 1970, en Abbey Road, Paul terminó de preparar su primer LP como solista: *McCartney*. Se lo llevó muy contento sin saber que en el estudio cuatro Phil Spector estaba empezando a hacer las mezclas de las cintas de *Let It Be*, a petición de Lennon. Esto iba en contra de los deseos de McCartney, quien quería conservar el sonido puro, como era su idea original, sin la alquimia de un estudio de grabación. En fin, Paul ya tendría tiempo de enojarse por ello.

A principios de abril, Paul dijo a la prensa que se iba de Los Beatles y, aunque no quiso hablar de su álbum *McCartney*, el anuncio efectivamente le dio una gran publicidad al disco.

Uno de los elementos de su futura demanda para disolver a Los Beatles, era el que Lennon y Spector hubieran arruinado una obra suya: "The Long And Winding Road", del LP *Let It Be*, el cual había salido a la venta, finalmente, el 8 de mayo de 1970. Ese día John había dicho:

—Había demasiada mierda (en las grabaciones originales del álbum), así que Spector rehízo todo y lo dejó de maravilla.

Se había acabado para Lennon la pesadilla llamada... ¿Beatles?... ¿Paul?

Ese mismo año se publicó el disco John Lennon-Plastic Ono Band, que abre y cierra con canciones dedicadas a Julia, la madre del ex beatle. La primera, "Mother", es un reclamo a ella y al padre:

Mother, you had me

(Madre, tú me tuviste)

But I never had you...

81

(Pero yo nunca te tuve)

Father, you left me

(Padre, tú me dejaste)

But I never left you...

(Pero yo nunca te dejé)

La última canción del lado B se llama "My Mummy's Dead" ("Mi mami está muerta"). La letra es concisa y el tono muy deprimido.

Lennon pidió a Phil Spector que produjera su siguiente álbum, *Imagine*, publicado en 1971. La canción que daba el título fue pronto un éxito mundial. La letra de esta composición pide que los escuchas imaginen que hay paz y hermandad entre todos los habitantes del mundo.

You may say I'm a dreamer

(Puedes decir que soy un soñador)

But I'm not the only one.

(Pero no soy el único)

I hope someday you'll join us

(Espero que algún día te nos unas)

And the world will be as one.

(Y el mundo será uno)

El disco despertó mucho interés también por otra canción: "How Do You Sleep?" ("¿Cómo duermes?"), claramente dirigida contra Paul McCartney:

So *Sergeant Pepper* took you by surprise

(Así que el *Sargento Pimienta* te tomó por sorpresa)

You better see right thru that mother' eyes

(Mejor fíjate bien en los ojos de ese hijo de puta)

The only thing you done was "Yesterday",

(La única cosa que hiciste fue "Yesterday")

And since you've done you're just "Another Day"

(Y desde que te fuiste sólo eres "Otro día")

Lo que aparece entre comillas son los títulos de canciones de Paul. El álbum se cierra con "Oh, Yoko".

En septiembre de 1971, los Lennon se fueron a vivir a Nueva York. La vida ahí le parecía fascinante a John, ya que por todos lados podía encontrar a personajes interesantes. Residieron un tiempo en la isla de Manhattan. Ahí los visitaron músicos y actores, además de activistas políticos, a quienes les habían llamado la atención las preocupaciones sociales de Lennon, manifestadas en las letras de sus canciones. En adelante, John recibiría constantes solicitudes para apoyar diversas causas políticas en Estados Unidos. Para empezar, John y Yoko participaron en una protesta a favor de los indígenas de Norteamérica, y en noviembre de ese año, John actúo en el Teatro Apolo, de Harlem, en una función a beneficio de los familiares de los presos asesinados por la policía en una cárcel de Nueva York. John compuso una canción para el evento: "Attica State" (Cárcel de Attica):

A
M
O
R

P
A
Z

Y

M
U
E
R
T
E

A
M
O
R

P
A
Z

Y

M
U
E
R
T
E

Shot the prisoners in the towers,

(Dispararon a los prisioneros en las torres)

Forty-three poor widowed wives

(Cuarenta y tres pobres esposas viudas)

Attica State, Attica State,

(Cárcel de Attica, Cárcel de Attica)

We're all mates with Attica State.

(Todos somos colegas de la Cárcel de Attica)

Junto con Yoko, le compuso una canción a Ángela Davis, una joven de color que luchaba en contra del racismo y era dirigente del partido comunista estadounidense. La ultraderecha, en confabulación con el presidente Nixon, la había acusado de asesinato, pero finalmente se demostró su inocencia.

Estas y otras canciones de tema político fueron incluidas en el LP *Some Time In New York City* (Algún tiempo en la ciudad de Nueva York), pero ninguno de los temas superó la prueba del tiempo, precisamente por su carácter panfletario y local. Además, el ritmo de varias canciones es empalagoso. Este tropiezo en su carrera lo puso a reflexionar acerca de lo que estaba haciendo y terminó por declarar en una entrevista:

—Me he dado cuenta de que tener ideas políticas interfiere en mi música, y sigo siendo, ante todo, músico y no político.

El disco de 1973, *Mind Games* (Juegos mentales) haría que el público olvidara aquel mal paso. La canción titular fue muy promocionada y pronto estuvo entre las preferidas del público. Curiosamente, John compuso las canciones de este álbum lejos de Yoko, de quien se separó durante 15 meses, debido a que su aparentemente angelical esposa había empezado a mostrar un carácter autoritario, y esto afectaba seriamente la autoestima de John, quien sintió entonces una gran ansia de libertad. Le sugirió a Yoko que se separaran un tiempo y ella estuvo de acuerdo, pero no quiso que se fuera solo. Alguien tenía que vigilar sus pasos para que no se saliera de su control y para que no se olvidara de que la separación era sólo temporal, de modo que le pidió a la secretaria de ambos, una joven china llamada May Pang, que lo acompañara. Pero como esta empleada sólo tenía veintitrés años, no pudo evitar que John se descarriara y, peor aún para Yoko: con el paso de los días, se establecería una relación amorosa entre Lennon y la chica. Ellos se fueron a Los Angeles y Ono se quedó en Central Park, Nueva York, en el enorme departamento que John había comprado recientemente en un viejo edificio de estilo gótico llamado Dakota.

Durante su "soltería", John se la pasó en la bohemia californiana al lado de Elton John y creó además las composiciones para otro genial LP: *Wall And Bridges*, que publicaría en 1974. El plato fuerte era "Whatever Gets You Thru The Night" ("Cualquier cosa que te haga pasar la noche"), en la que colaboró Elton. La letra habla de la angustia existencial de Lennon e invita a vivir aprisa y felizmente, pase lo que pase, puesto que morimos a prisa y mal. El video promocional incluía dibujos animados hechos por Lennon. La lástima de John por sí mismo vuelve a aparecer en el último tema del disco: "Nobody Loves You (When You're Down and Out)": "Nadie te ama (cuando estás deprimido)".

El álbum *Shaved Fish* (Pez afeitado), de 1974, es una colección de sus éxitos más tres nuevas obras maestras. La primera de éstas es "Instant Karma", en la que Lennon vuelve a mostrar su obsesión por la muerte. Lanza una advertencia a todos y un ataque velado a Paul McCartney:

Pretty soon you're gonna be dead…

(Muy pronto vas a estar muerto)

How in the world you gonna see

(Cómo diablos vas a ver)

Laughin' at fools like me

(Riéndote de tontos como yo)

A
M
O
R

P
A
Z

Y

M
U
E
R
T
E

Who in the heck d'you think you are?

(¿Quién diablos crees que eres?)

A super star? Well, alright, you are.

(¿Una súper estrella? Bien, muy bien, lo eres)

Los otros dos temas nuevos son: "Happy Xmas" ("Feliz Navidad") y "Power To The People", cuya letra y video terminaron de convencer al gobierno de Estados Unidos de que John era una persona *non grata* y que había que expulsarlo a como diera lugar. El Departamento de Justicia hizo todo lo posible por sacarlo del país, pero fracasó.

El 16 de diciembre de 1975, el periódico *Daily Mail* publicó la noticia de que el presidente Richard Nixon era directamente responsable de todos los problemas que Lennon había tenido para conseguir la residencia legal en Estados Unidos.

Este mismo año, Yoko le dio por fin un hijo a John: Sean Ono Taro Lennon, quien nació el 9 de octubre, por lo que compartiría el día de su cumpleaños con su padre. La felicidad de Lennon no tuvo límites. Decidió retirarse de la música para dedicarse por completo a cuidar a su pequeño. Se acababa de abrir un paréntesis en la vida pública del ex beatle, que se cerraría cinco años después, en agosto de 1980, cuando John y Yoko volvieron a meterse al estudio para grabar el álbum *Double Fantasy*.

Durante estos años muy poco había que informar acerca de las actividades del ex beatle. Yoko había decidido dedicarse a los negocios, entre ellos la ganadería, mientras su marido asumía gustoso el papel de amo de casa, para darle a su segundo hijo lo que no le había dado a Julian: tiempo y cuidados. En los medios se colaban datos irrelevantes. Se informó, por ejemplo, que John había vendido una vaca a un precio altísimo y que había donado dinero a la policía metropolitana de Nueva York, para la compra de chalecos antibalas. Además, un amigo de los Lennon, el periodista Eliot Mintz, comentó que John le había sacado una foto al primer pan que le quedó bien horneado. También se supo que Yoko había contratado los servicios de diversos médiums y psíquicos para que la guiaran en su inversiones. El 27 de julio de 1976 se supo algo más importante: al fin las autoridades migratorias de Estados Unidos habían otorgado a John la tarjeta verde de residente legal.

Algunos otros datos sobre la vida de Lennon en su retiro se supieron cuando la media hermana de Lennon, Julia Baird, publicó su libro *John Lennon, mi hermano*, en 1988. Ella informó que John había hecho algunas llamadas a sus tías, hermanas de Julia, a sus dos hermanas y a algunos primos. Que deseaba ayudarlos económicamente, pero que le era imposible, pues todo su dinero estaba siendo manejado por Yoko en diversas inversiones. Con Baird, John tenía largas conversaciones nocturnas acerca del cuidado de los hijos y de asuntos de cocina. Él se levantaba muy temprano para hacer los quehaceres domésticos y en las noches se bañaba con su hijo.

Julia Baird también dio algunos pormenores acerca de la última visita que hizo John a su ciudad natal, Liverpool, en 1976, acompañado por Yoko Ono, a quien le mostró todos los lugares en que habían tocado Los Beatles en sus inicios. En la casa de la tía "Harrie" (Harriet, la menor de las hermanas de la madre de John), Yoko se la pasó hablando de la filosofía Zen y mencionó que John y ella no podían comer la pierna que la señora había preparado, pues ahora eran vegetarianos.

En aquellos años, Lennon sólo tomó la guitarra para componer una canción para un disco de Ringo, y además tocó el piano en la grabación de la misma. La pieza se llamaba: "Cooking In The Kitchen Of Love" ("Cocinando en la cocina del amor"). En ese lustro, la única aparición pública de John y Yoko fue en una cena dada en honor del presidente Jimmy Carter, en 1977.

Durante su atareada vida doméstica, los pocos ratos libres que tenía John, los dedicaba a escribir un diario. Por fin, a mediados de 1980, decidió tomarse unas vacaciones. Fue a las Bermudas y paseó en yate, pero extrañaba mucho a su hijo Sean, así que pidió que lo llevaran a su lado. Ahí, John empezó a componer las canciones para el que sería su álbum *Double Fantasy*. El nombre lo tomó de una planta del

A
M
O
R

P
A
Z

Y

M
U
E
R
T
E

Caribe llamada Doble Fantasía. El disco contendría siete canciones de Lennon y siete de Yoko. Éste era un número de la suerte, y parecía que funcionaría.

Comenzaron a grabar en agosto de ese año y el álbum salió a la venta el 29 de octubre. La primera canción del lado A, "(Just Like) Starting Over": "(Sólo como) Empezar de nuevo", llegó al número uno de la lista de éxitos de la revista *Billboard* el 3 de enero de 1981.

Todo el mundo quería saber los pormenores del regreso de John al mundo de la música, de modo que la prestigiosa revista roquera *Rolling Stone* se apresuró a solicitarle una entrevista. Ésta se realizó el viernes 5 de diciembre. Al día siguiente, junto con su esposa, Lennon grabó una charla con un periodista de Radio One, de la BBC de Londres. Ésta fue la última entrevista concedida por John, a tan sólo 48 horas de su muerte.

Mientras los Lennon promovían el álbum y hacían planes para una gira mundial, Mark David Chapman, un tipo con problemas de personalidad y gran admirador de Los Beatles desde niño, se la pasaba vagabundeando, pensando que Lennon era su "otro yo" y que por ello él, Chapman, no podía vivir su propia vida. Había llegado a sus manos la novela *El guardián entre el centeno*, con la que el neoyorquino Jerome David Salinger, un escritor ermitaño, se había consagrado. Pese a su aversión a la humanidad, Salinger había elaborado a un personaje lleno de interés por sus semejantes: Holden Caufield, un jovencito sin carácter, pero deseoso de proteger a los débiles, lo cual logra al fin. A Chapman la historia lo conmovió de una manera extraña. Una idea germinó en su cabeza: mientras Lennon viviera, él no se sentiría libre para ayudar a la humanidad, así que debía hacer algo al respecto.

Existe la teoría de que la CIA, sintiéndose burlada por no haber podido expulsar a Lennon de Estados Unidos, y al ver que volvía a la vida pública, se puso en contacto con Chapman luego de estudiar su perfil psicológico. Era la persona ideal. Sólo había que trabajar un poco para que fuera la mano ejecutora... En realidad *Double Fantasy* no contenía ninguna alusión a la política de Estados Unidos, pero John podría volver a las andadas, así que había que pararlo cuando aún fuera tiempo.

El 8 de diciembre, John recibió a una fotógrafa en su departamento. Después de posar para ella salió del edificio junto con Yoko para dirigirse a los estudios Hit Factory, de Nueva York, para trabajar en la grabación del sencillo *Walkin On Thin Ice* (Caminando en hielo delgado). En la acera se encontraron a Chapman, quien le solicitó a él su autógrafo. Al regresar por la noche, Lennon volvió a ver al tipo. Yoko se adelantó para estar cuanto antes con Sean, de pronto se escucharon cinco balazos y John alcanzó a decir:

—Me dio.

Todos los tiros dieron en el blanco. John fue llevado al hospital Roosevelt. Tenía graves heridas en el pecho y en la espalda. Una gran cantidad de reporteros y curiosos se congregó en el lugar. Muchos canales de televisión y estaciones de radio interrumpieron sus programaciones para informar acerca del atentado contra Lennon.

AMOR PAZ Y MUERTE

89

Quienes deseaban tener información acerca del estado de salud del ex beatle no tuvieron que esperar mucho tiempo, pues a las once de la noche con siete minutos, el doctor Stephen Lynn, quien había estado encargado de la atención a Lennon, dio una conferencia de prensa en la que informó que el músico había fallecido a causa de la rápida pérdida de sangre.

A esa hora ya había una enorme cantidad de admiradores de Lennon frente al edificio Dakota quienes al saber la noticia decidieron guardar silencio durante diez minutos por la muerte de su ídolo. Paul McCartney fue uno de los más conmocionados y a partir de entonces decidió contratar protección, pues sintió mucho miedo de que atentaran también contra su vida.

El LP póstumo de Lennon, *Milk and Honey*, fue exitoso, pero los críticos dudaron de que su aceptación se debiera al valor intrínseco de la obra. Suponían que sus altas ventas se debían al sentimentalismo de los fans del ex beatle. En 1984 Yoko Ono publicó *Every Man Has A Woman*, como un tributo a su marido.

Notas curiosas

John Lennon era miope. Usaba unas gafas con mucha graduación, pero no le gustaba salir a tocar con ellas. Prefería ver borrosamente a las miles de fans que gritaban enloquecidas que afear su imagen.

John nunca quiso cobrar por sus presentaciones como solista. Unas de estas actuaciones fueron para apoyar causas sociales y otras para acompañar a algunos de sus amigos en el escenario.

El 7 de marzo del 2004 se puso en subasta un pelo de Lennon. Estaba acompañado por dos certificados de autenticidad y el precio base era de mil euros (alrededor de 14 mil pesos). El cabello se lo había regalado John a un fan el 26 de agosto de 1964, día en que Los Beatles dieron un concierto ante 7 mil personas en Denver, Colorado, Estados Unidos.

Yoko Ono, de 72 años, sigue ganando dinero a manos llenas por la obra de Lennon. Cobró 50 millones de dólares (igual que Paul, George y Ringo) por la *Antología* de Los Beatles que apareció en tres partes, entre 1995 y 1996.

BIBLIOGRAFÍA

Ávila Cruz, Álvaro, *Héroe de la clase trabajadora: John Lennon y su obra*. Universidad Autónoma del Estado de Hidalgo, México, 1998.

Baird, Julia y Geoffrey Giuliano. *John Lennon, mi hermano*. Ediciones Temas de hoy, Madrid, 1989.

Bastien, Remy. *La balada de John y Yoko*. Diana, México, 1983.

MANZANO, Alberto y David Farrell. *John Lennon: Canciones*. Fundamentos, Madrid, 2000.

Miles, Barry. *Los Beatles día a día: Un diario ilustrado de su carrera y su historia íntima*. Robinbook, Barcelona, 2003.

Norman, Phillip. *¡Grita!: La verdadera historia de Los Beatles*. Ultramar, Barcelona, 1988.

Robertson, John. *Guía musical de Los Beatles*. Tomo, México 2001.

ÍNDICE

Colección Biografías

Alejandro Magno, José Rodríguez.

Albert Einstein, Alejandro Torres.

Bob Marley, Marlene Gómez Sánchez.

Buda, Pablo López.

Carlomagno, José Rodríguez.

Carlos Marx, Alejandro Torres.

Cleopatra, Alejandro Torres.

Confucio, Alejandro Torres.

Cuauhtémoc, Everardo Gabino Carlos González.

Emiliano Zapata, Paulina García.

Ernest Hemingway, Marlene Gómez Sánchez.

Ernesto "Che" Guevara, Jesús Gabriel González.

Fidel Castro, Abraham Camacho López.

Francisco Villa, Paulina García.

Frida Kahlo, Alejandro Torres.

Galileo Galilei, Alejandro Torres.

Gandhi, Josefina Torres Pacheco.

Hitler, Edgar Rodrigo Gasca Flores.

Jack *El Destripador*, Roberto Gómez Martínez

Jesús, Carolina Maomed.

Jim Morrison, Ana Cecilia González Casas.

Jimi Hendrix, Sergio Gaspar Mosqueda.

Colección Biografías

John F. Kennedy, Jesús Gabriel González.

John Lennon, Sergio Gaspar Mosqueda.

Judas Iscariote, Ana Cecilia González.

Julio César, Jesús Gabriel González.

Led Zeppelin, Héctor Germán Zenil Zavala.

Lenin, Ana Cecilia González.

Leonardo da Vinci, Abraham Camacho López.

Madre Teresa de Calcuta, José Rodríguez.

Mahoma, Carolina Maomed.

Marqués de Sade, Delton Manuel González.

Napoleón, Alejandro Torres.

Pedro Infante, Jesús Gabriel González.

Porfirio Díaz, Paulina García.

Platón, Alejandro Torres.

Rasputín, Jesús Gabriel González.

Shakespeare, Héctor Zenil Sánchez.

Sócrates, José Rodríguez.

Sor Juana Inés de la Cruz, Adriana Chávez Castro.

Stalin, Everardo Gabino Carlos.

Los Beatles, Sergio Gaspar Mosqueda.

Van Gogh, Josefina Torres Pacheco.

ESTA **OBRA** SE TERMINÓ DE IMPRIMIR EN EL MES DE MAYO
DEL 2006 EN **GRAFIMEX IMPRESORES S.A. DE C.V.,**
BUENAVISTA 98-D COL. SANTA ÚRSULA COAPA
C.P. 04650 MÉXICO, D.F. TEL.: 3004-4444